FRANÇOIS MOREAU

Professeur à l'Université de Toulouse II

L'IMAGE LITTÉRAIRE

Position du problème

Quelques définitions

OUVRAGE PUBLIÉ AVEC LE CONCOURS
DU MINISTÈRE DES UNIVERSITÉS

SOCIÉTÉ D'ÉDITION D'ENSEIGNEMENT SUPÉRIEUR
..., boulevard Saint-Germain
PARIS Ve

© 1982, C.D.U. et SEDES réunis
ISBN 2-7181-0938-6

AVANT-PROPOS

On ne trouvera dans ce livre ni vues nouvelles, ni théories originales sur la question de l'image littéraire. Il s'agit seulement d'une mise au point, qui nous a semblé indispensable tant est grande l'imprécision du vocabulaire stylistique, et variable, le sens que les critiques donnent aux mêmes termes.

Aussi, avant d'entrer dans le monde rabelaisien, avons-nous jugé utile de préciser des notions et de définir une méthode, comme l'explorateur qui, au seuil du pays qu'il va découvrir, vérifie son matériel et récapitule les tâches qu'il s'est proposées.

Notre dette est lourde, envers tous ceux dont nous citons les ouvrages dans les pages qui suivent, et dont les réflexions, anciennes ou bien récentes, nous ont permis de réaliser cette synthèse nécessaire à la cohérence et à l'exactitude de nos recherches. Nous sommes particulièrement redevable à M. Le Guern, dont la *Sémantique de la métaphore et de la métonymie,* parue au moment où nous rédigions cette introduction, nous a permis tout à la fois de confirmer, de préciser et d'enrichir nos réflexions antérieures.

Nous espérons que l'ensemble de ces considérations liminaires favorisera nos recherches

rabelaisiennes, pensant, comme Plutárque (1),
qu' « il est préférable de parcourir brièvement
les recherches des autres, non tant pour informer
que pour donner plus de clarté et de fermeté
à nos propres recherches, en exposant au préalable
celles d'autrui ».

Nous ne nous sommes pas interdit de citer
Rabelais dès ce premier livre, mais nous avons
choisi de préférence des exemples extérieurs à
son œuvre, afin d'éviter toute confusion entre
l'étude méthodologique que nous entreprenons
ici, et l'application que nous en ferons, après
l'inventaire du livre II, dans le livre III, consacré
à l'imagination créatrice de Rabelais, telle qu'elle
apparaît dans l'utilisation des images.

Que M. Roger Lathuillère, qui a guidé nos
recherches, M. Frédéric Deloffre et M. Jean Maza-
leyrat, qui nous ont prodigué leurs conseils, et
Mme Marie-Hélène Prat, qui nous a fait bénéficier
de sa réflexion sur l'image, veuillent bien trouver
ici l'expression de notre gratitude.

---

(1) *De la Vertu éthique*, 440 D : Βέλτιον δὲ βραχέως
ἐπιδραμεῖν καὶ τὰ τῶν ἑτέρων, οὐχ ἱστορίας ἕνεκα μᾶλλον
ἢ τοῦ σαφέστερα γενέσθαι τὰ οἰκεῖα καὶ βεβαιότερα προ-
εκτεθέντων ἐκείνων.

« I know I am talking of a trite and threadbare theme — namely, figures of speech. But the trite we fight shy of because it *is* trite, is sometimes more shining than the upstart new, if we will but brush off the dust. »

John Livingston Lowes, *Convention and Revolt in Poetry,* in C. Spurgeon, *Shakespeare's Imagery,* p. 3.

REMARQUES PRÉLIMINAIRES

LA NOTION D'IMAGE

Le mot *image* est de ceux que le stylisticien doit employer avec des précautions et un discernement tout particuliers, car il est à la fois ambigu et imprécis, ambigu parce qu'il peut être pris aussi bien dans un sens général très vague et très vaste, que dans une acception proprement stylistique, imprécis parce que son emploi, même dans le domaine limité de la rhétorique, est très flottant et très mal défini.

Ainsi, lorsque Gaston Bachelard écrit (1) : « La métaphore vient donner un corps concret à une impression difficile à exprimer. La métaphore est relative à un être psychique différent d'elle. L'image, œuvre de l'Imagination absolue, tient au contraire tout son être de l'imagination », il est bien difficile de discerner ce que l'auteur entend par *image*.

C'est pourquoi il semble nécessaire, avant d'étudier les images chez un auteur donné, de préciser le sens de ce terme et de ceux dont la rhétorique se sert pour désigner les figures diverses qu'elle a coutume de regrouper sous le nom général d'*images*.

*
* *

(1) *La Poétique de l'espace*, p. 79.

La première source d'erreurs ou tout au moins
d'imprécision, c'est le sens très large du terme
d'*image* qui, loin d'être, comme *métonymie, syl-
lepse*, etc., un terme technique, uniquement
réservé au domaine stylistique, s'emploie aussi,
hors de ce domaine, dans des acceptions variées.

« Le terme « image », note Stephen Ullmann (2),
possède dans le langage courant plusieurs sens qu'il
faut distinguer nettement les uns des autres. Il y a
notamment un certain risque de confusion entre
« image », expression linguistique d'une analogie,
et « image » au sens de représentation mentale...
Parfois il est assez malaisé d'établir le sens exact
du terme dans des passages qui pourraient être de
la plus haute importance pour l'esthétique d'un
auteur ; seule une étude approfondie du contexte
et de l'attitude générale de l'écrivain permettra de
résoudre l'équivoque » (3). Aussi doit-on éviter de
confondre, comme le fait R. Sayce, dans son livre
Style in French prose (4), le sens stylistique et le
sens général du mot image : « An image is not

_____

(2) « L'image littéraire, quelques questions de méthode »,
in *Langue et Littérature, Actes du 8e Congrès de la Fédération internationale des langues et littératures modernes*
(1960), Paris, Belles Lettres, 1961, p. 43.
(3) I. A. Richards fait la même constatation dans son livre
The Philosophy of Rhetoric, p. 98 : « The words « figure »
and « image » ... bring in a confusion with the sense in
which an image is a copy or revival of a sense-perception of
some sort and so have made rhetoricians think that a figure
of speech, an image, or imaginative comparison, must have
something to do with the presence of images in this other
sense, in the mind's eye or the mind's ear. But of course it
need not. »
(4) P. 57.

necessarily a substitution of one thing for another or a comparison between them, it may be any concrete word wich evokes a response of the senses, especially when it is used to enliven or illustrate abstract argument. » Une telle définition met sur le même plan des phénomènes proprement linguistiques (métaphore et comparaison) et une tendance de l'imagination (5) (termes concrets illustrant un raisonnement abstrait). Bien que le domaine des figures ne soit pas toujours aisé à circonscrire (par exemple la comparaison : *cette voiture est aussi rapide que la mienne* est une simple appréciation, alors que la comparaison : *cette voiture est rapide comme l'éclair* est déjà une figure) (6), il est préférable de délimiter avec autant de précision qu'il est possible le sens des termes qu'on emploie : la traduction de l'étude récente de M. Bakhtine sur *L'Oeuvre de François Rabelais et la culture populaire au Moyen Age et sous la Renaissance* (7) emploie souvent le mot *image* sans préciser ce qu'il faut entendre par là (le contexte montre qu'il s'agit la plupart du temps du sens général de « représentation des objets dans l'esprit » (8), et non du sens stylistique).

Deux passages de Rabelais nous permettront de mieux distinguer les deux sens du mot : dans

_____

(5) Cf. Boileau, *Traité du Sublime*, XIII, in Robert, *Dict.*, s.v. *image* : « Ce mot d' « image » se prend en général pour toute pensée... qui fait une peinture à l'esprit de quelque manière que ce soit... »
(6) Cf. M. Le Guern, *Sémantique de la métaphore et de la métonymie*, p. 52-53.
(7) Paris, Gallimard, 1970.
(8) Littré, s.v.

G./XXVIII/18 (9), l'auteur nous dépeint le géant qui « escript au foyer avec un baston bruslé d'un bout dont on escharbotte le feu... » Il n'y a pas ici de figure, et le terme d'*image,* appliqué à ce passage, désignerait uniquement une représentation imaginaire, un tableau comparable à celui qu'un peintre pourrait suggérer avec son pinceau, les objets ou les personnages décrits n'ayant aucun lien avec d'autres objets ou d'autres personnages explicitement ou implicitement évoqués dans le contexte. Au contraire, lorsque Rabelais demande, dans le passage fort célèbre de G./Prol./45 : « Mais veistes vous oncques chien rencontrant quelque os medulare ? », bien que Rabelais n'ait apparemment qu'un seul objet dans l'esprit, on découvre ensuite qu'il fait référence à un second objet : « A l'exemple d'icelluy vous convient estre saiges... » Nous pouvons employer ici le mot *image* dans son acception particulière au vocabulaire de la rhétorique, où le terme désigne plusieurs types de figures : comparaison, métaphore, allégorie...

On pourrait donc proposer une première définition : l'image au sens stylistique est la représentation d'un rapport linguistique entre deux objets.

*
* *

---

(9) Les références de nos citations indiquent successivement :
    1) Le livre de Rabelais (P.=*Pantagruel,* G.=*Gargantua,* III= *Tiers Livre,* IV=*Quart Livre,* V=*Cinquième Livre*)
    2) Le chapitre
    3) La ligne de l'éd. Lefranc (Champion-Droz) pour P., G., III, IV/I-XVII, celle de l'éd. Marichal (Droz) pour IV/XVIII sq., et la page de l'éd. Plattard (Belles Lettres) pour V.

Mais le fait que l'image, au sens stylistique, soit un terme générique employé souvent sans rigueur est une seconde source de confusions. Tel critique appellera image les deux termes rapprochés ; tel autre réservera ce nom au terme « imageant » ; tel autre encore désignera sous le nom d'image une figure précise : « ce qu'on appelle *image* semble à la fois le plus évidemment significatif d'une vision du monde, et le plus insaisissable... L'abus du mot n'est pas le plus gênant — mais le flou, l'ambiguïté : tantôt terme générique pour tout rapport d'analogie, tantôt synonyme étroit de métaphore, à l'exclusion de la comparaison, ce terme concentre et symbolise l'incapacité de la stylistique, ou de la critique, à fonder sa scientificité » (10). La sévérité d'Henri Meschonnic est sans doute excessive : reconnaissons cependant qu'elle n'est pas dénuée de fondement.

Nous restreindrons donc dans notre étude l'usage du terme d'*image,* 1) en renonçant à l'utiliser dans un sens général, et en ne le prenant que dans son acception stylistique, 2) en évitant de l'employer pour désigner une figure particulière, et en le considérant toujours comme le terme générique qui englobe différentes figures de rhétorique.

Le sens du terme ayant été limité, il convient maintenant de le préciser, en exposant tout d'abord les conditions d'existence de l'image, puis en énumérant les figures diverses qu'on regroupe sous ce nom.

_____

(10) H. Meschonnic, *Pour la poétique,* p. 101-102.

Dans sa thèse sur *L'Image dans l'œuvre de
Pascal* (11) M. Le Guern donne la définition
suivante : « l'image est un élément concret que
l'écrivain cueille à l'extérieur du sujet qu'il traite
et dont il se sert pour éclairer son propos ou pour
atteindre la sensibilité du lecteur par l'intermédiaire de l'imagination ». Cette définition, assez
générale, contient une idée importante − l'image
comporte un *élément extérieur au sujet traité* −
que M. Le Guern exprime d'une façon plus moderne dans sa *Sémantique de la métaphore et de
la métonymie* (12) : « on peut définir l'image du
point de vue de la réalité linguistique par l'emploi
d'un lexème étranger à l'isotopie du contexte
immédiat ». Cette remarque s'applique à toutes
les images, mais elle oblige à laisser de côté la
plupart des cas de métonymie, dont M. Le Guern
reconnaît qu' « elle appartient habituellement à
l'isotopie du contexte » (13).

On peut tenter une autre définition : soit un
terme donné, il est nécessaire, pour qu'il fasse
image, qu'on puisse répondre affirmativement aux
deux questions suivantes :

1) Le mot désigne-t-il habituellement un
objet différent de celui auquel il est appliqué
dans le passage étudié (14) ? Ou, dans le cas de la

---

(11) P. 3.
(12) P. 53.
(13) *Op. cit.* p. 104. Sur l'*isotopie,* cf. *infra* p. 70.
(14) Cf. I. A. Richards, *The Philosophy of Rhetoric*, p. 119 :
« Whether, therefore, a word is being used literally or meta-
phorically is not always, or indeed as a rule, an easy matter
to settle. We may provisionally settle it by deciding whether,
in the given instance, the word give us two ideas or one... If
we can distinguish at least two cooperating uses, then we
have metaphor. »

comparaison, y-a-t-il un écart suffisant entre le
comparé et le comparant ?

2) Ce mot est-il uni à l'objet qu'il désigne par
un rapport d'analogie ou de contiguïté (par exemple la partie pour le tout ou vice-versa, etc.) ?

Prenons un exemple dans le *Gargantua* (15) :
quand Janotus de Bragmardo se rend chez le géant
pour tenter de récupérer les cloches, accompagné
de « maistres inertes », Ponocrates, qui les rencontre, demande « que queroit ceste *mommerie* » :
le terme désigne proprement une mascarade ; il
est étranger à l'isotopie du contexte, puisque
précisément Janotus et sa suite n'ont nullement
conscience du ridicule de leur déguisement. D'autre
part, il y a bien une analogie entre ces tenues gro-
tesques et les mascarades, puisque Ponocrates, « les
voyant ainsi desguisez, ... pensoit que feussent
quelques masques hors du sens ». Les deux conditions nécessaires pour qu'on puisse parler ici
d'image sont donc remplies.

On pourrait en quelque sorte dire de chaque
image que c'est une « façon de parler ». Valéry
appelait « abus du langage » ce « que l'on groupe
sous le nom vague et général de « figures » (16),
et le caractère de l'image est précisément d'être
l'emploi abusif d'un terme appliqué à un objet
autre que celui qu'il dénote habituellement. Nous
retrouvons ici la notion de μεταφορά au sens où
l'entendait Aristote (17), c'est-à-dire de *transfert
de sens,* acception beaucoup plus large que celle
que nous donnons maintenant au mot *métaphore.*

---

(15) G./XVIII/12.
(16) « Questions de poésie », in *Variété*, Pléiade, t.I, p. 1289.
(17) Cf. *Poétique,* XXI, 1457 b.

L'image doit donc être définie comme l'identification ou seulement, dans le cas des comparaisons,
le rapprochement de deux objets appartenant à
des domaines plus ou moins éloignés.

Il reste à dénombrer les figures qui peuvent
être appelées images, et dont l'étude sera faite
dans cette première partie : on peut distinguer
celles qui se caractérisent par un rapport d'analogie
entre deux termes — comparaison, métaphore,
allégorie, symbole — et celles où les termes sont
unis par un rapport de contiguïté — métonymie et
synecdoque. Il y a lieu d'ajouter à cette nomenclature traditionnelle deux phénomènes un peu particuliers : les *synesthésies* tout d'abord, dont M. Le
Guern (18) montre que ce sont bien des images,
malgré leur caractère *« extra-linguistique »*, et qu'il
définit comme une « correspondance sentie entre
les perceptions des différents sens, indépendam-
ment de la mise en œuvre des facultés linguistiques
et logiques », et les *syllepses,* qui ne sont pas par
elles-mêmes des images, mais qui font intervenir
des images, la meilleure définition étant celle de
Fontanier (19) : « Les tropes mixtes, qu'on appelle
syllepses, consistent à prendre un même mot
tout à la fois dans deux sens différents... ; ce qui a
lieu par métonymie, par synecdoque, ou par
métaphore ».

---

(18) *Sém. de la métaphore et de la métonymie,* p. 48.
(19) Cité par M. Le Guern, *op. cit.* p. 109.

PREMIÈRE PARTIE

LES FIGURES D'ANALOGIE

I

COMPARAISON ET MÉTAPHORE

S'il paraît nécessaire de commencer par considérer ces deux figures ensemble, avant de les examiner séparément, c'est qu'il existe entre elles des
rapports qu'une étude respective de chaque figure
ne saurait mettre en lumière : certes, il peut sembler
excessif de prétendre qu' « au terme actuel des
recherches poétiques, il ne saurait être fait grand
état de la distinction purement formelle qui a
pu être établie entre la métaphore et la comparaison » (1), et que « l'une et l'autre constituent
le véhicule interchangeable de la pensée analogique... » (1), mais il faut reconnaître que certains
critiques, en étudiant seulement les métaphores,
ou bien les comparaisons, dans une œuvre donnée,
n'entrevoient que partiellement l'imagination créatrice de l'auteur choisi : ainsi que le note Stephen
Ullmann (2), « une même analogie s'exprime très
souvent, dans le même texte, tantôt par des comparaisons, tantôt par des métaphores ; une séparation

---

(1) A. Breton, *Signe ascendant*, 1947, in *La Clé des champs*,
éd. du Sagittaire, 1953, p. 114, cité par H. Meschonnic,
Pour la poétique, p. 122, n. 1.
(2) In *Langue et Littérature*, Paris, Belles Lettres, 1961,
p. 46.

systématique des deux types, que préconisent certains auteurs, fausserait donc la perspective de la recherche : elle empêcherait le critique d'entrevoir la trame générale des images et les tendances profondes qui régissent leur genèse. »

Ainsi, dans son ouvrage sur *le Style de Montaigne,* Floyd Gray, séparant les comparaisons et les images (c'est-à-dire les métaphores) parce que, dit-il, « à les séparer, on comprend mieux les éléments de la création littéraire d'un écrivain » (3), s'est privé d'un certain nombre de remarques intéressantes qu'il aurait pu tirer du rapprochement des comparaisons et des métaphores, car l'imagination d'un écrivain s'exprime aussi bien sous la forme de l'une ou de l'autre figure, et la même image peut revêtir tantôt la forme de celle-ci, tantôt la forme de celle-là : pour prendre un exemple chez Rabelais, nous trouvons au ch. XI du *Gargantua* (4) une métaphore — Gargantua « *escorchoyt le renard* », c'est-à-dire vomissait — qui apparaît aussi dans *Pantagruel* (5) sous la forme d'une comparaison — « Et tous ces bonnes gens rendoyent là leurs gorges devant tout le monde, *comme s'ilz eussent escorché le renard* ».

Il convient donc de ne pas isoler l'étude des comparaisons de celle des métaphores, puisqu'elles sont deux aspects d'un même procédé : l'image, et que la présence répétée d'un même thème sous l'une ou l'autre forme peut être le signe d'une constante obsessionnelle ou d'une tendance stylistique digne d'intérêt.

---

(3) P. 137, n. 10.
(4) G./XI/21 et 42.
(5) P./XVI/44.

Il ne faudrait pas cependant tomber dans l'excès contraire et identifier plus ou moins ces deux types d'images. Une vieille idée, héritée de la rhétorique antique, fait de la métaphore une comparaison abrégée : Quintilien a, semble-t-il, le premier soutenu que « la métaphore est en général une comparaison abrégée » (6). Les stylisticiens modernes, lui emboîtant le pas, déclarent que la métaphore « *n'est autre chose qu'une comparaison* (7) où l'esprit, dupe de l'association de deux représentations, confond en un seul terme la notion caractérisée et l'objet sensible pris pour point de comparaison » (8), ou que la métaphore est « présentée sous forme d'une comparaison abrégée » (9).

Cette vue est superficielle : de la comparaison à l'identification métaphorique, la différence est loin d'être négligeable, et ne peut s'expliquer uniquement par l'existence ou l'omission d'un outil de comparaison. Et rien ne prouve que l'esprit soit obligé de passer par la comparaison pour créer une métaphore. On a même soutenu que « la métaphore est plus ancienne que la comparaison. On pourrait penser le contraire à la première réflexion,

---

(6) *De Inst. Orat.*, VIII, 6, 9-11 : « In totum autem metaphora brevior est similitudo. » Aristote fait la confusion en sens inverse, en écrivant que « la comparaison est aussi une métaphore, car la différence est petite » : ἔστι δὲ καὶ ἡ εἰκὼν μεταφορά. Διαφέρει γὰρ μικρόν (*Rhétorique*, III, 4, 1406 b).
(7) C'est nous qui soulignons.
(8) Ch. Bally, *Traité de Stylistique*, I, p. 187, § 195.
(9) H. Morier, *Dict. de poétique et de rhétorique*, s.v. *métaphore*.

en voulant considérer Homère et ses comparaisons
célèbres comme situés à l'origine de l'histoire
humaine... Or, bien en arrière d'Homère, se presse
un monde humain qui parle par contes, proverbes, paraboles, statues et temples, et toujours
métaphoriquement... » (10).

Dans les lignes qui suivent, Alain montre bien
que les proverbes, type d'image populaire par
excellence, n'ont rien à voir avec la comparaison.
Notre propos n'est pas de déterminer, en remon-
tant aux origines de l'humanité, quelle figure est
antérieure à l'autre : qui pourrait le dire ? Mais
il est certain que la présentation de la métaphore
comme un état plus élaboré, plus élégant, ou plus
moderne de la comparaison ne correspond pas
à la réalité.

La différence de nature qui sépare les deux
figures a été clairement mise en lumière dans des
études récentes : pour A. Henry (11), « la métaphore tend à réduire à l'unité, elle donne l'illusion
de réduire à l'unité. Au contraire, dès qu'il y a
comparaison, il y a affrontement de deux notions,
*affrontement qui subsiste et s'impose à tous, tel
quel*. Deux concepts ou deux séries de concepts
sont rapprochés et maintenus à distance l'un de
l'autre ; la personnalité de chacun reste distincte
et entière... » D'autre part, M. Le Guern (12)
montre que « ... la similitude se distingue de la
métaphore par le fait qu'aucune incompatibilité
sémantique n'est perçue ».

---

(10) Alain, *Préliminaires à l'Esthétique*, p. 144.
(11) *Métonymie et métaphore*, p. 59.
(12) *Sémantique de la métaphore et de la métonymie*, p. 56.

Cette différence de nature ayant été établie, il reste à déterminer la valeur stylistique respective de ces deux figures. Certes, la métaphore a pour elle la concision et la légèreté ; par elle, la substitution ou l'identification se fait au sein d'une même proposition, alors que la comparaison se développe le plus souvent entre deux propositions, que le verbe de la comparative soit exprimé ou que celle-ci soit elliptique : une subordonnée ralentit ou alourdit toujours la phrase. Bien qu'il sépare trop nettement, ainsi que nous l'avons dit, l'étude de la comparaison et celle de la métaphore, Floyd Gray, dans son livre sur *le Style de Montaigne,* montre bien que la métaphore est plus immédiate et plus dynamique, la comparaison, un peu adventice et plus statique, la métaphore, support de la pensée (13), la comparaison, souvent simple ornement de celle-ci. Aristote l'avait déjà remarqué, qui notait : « la comparaison, comme il a été dit plus haut, est une métaphore qui ne diffère que par un mot placé

_____

(13) Cf. Warren Shibles, *Analysis of metaphor in the light of W. M. Urban's theories,* p. 100-101 : « We do not always have a thought and then put it into metaphorical terms as in the case of illustration by analogy or metaphor. But rather the metaphor itself interacts with and helps to constitute the thought. The literalist assumption that metaphor is used often merely to illustrate a thought and that metaphor may be completely analyzed in literal terms is false. »

devant elle. C'est pourquoi elle est moins agréable, parce que plus longuement développée » (14).

Mais il est excessif de juger une figure plus agréable que l'autre, et c'est précisément parce qu'Aristote ne voit pas la différence de nature qui sépare les deux figures qu'il reste à un niveau d'appréciation très subjectif. En fait, on ne peut dire que la comparaison est en elle-même moins agréable ou moins belle que la métaphore, ou le contraire. Remarquons d'ailleurs que lorsque les deux figures se trouvent comparées, c'est toujours la comparaison qui est reconnue inférieure, à tort souvent, puisque son caractère statique et ses dimensions assez importantes ne sont pas, *a priori*, des défauts. H. Meschonnic (15) regrette à juste titre les « deux mille ans de dépréciation rhétorique et logique » dont la comparaison a été victime, et il appartiendra à cette étude de révéler la richesse et la beauté des comparaisons chez Rabelais.

Il nous suffit pour l'instant d'avoir montré qu'il est aussi absurde d'étudier uniquement les comparaisons ou les métaphores dans une œuvre donnée, que de les confondre en les considérant comme deux présentations grammaticales différentes d'une même figure, ou d'affirmer subjectivement la supériorité de l'une ou de l'autre.

---

(14) *Rhétorique*, III, 10, 1410 b : "Εστι γὰρ ἡ εἰκών, καθάπερ εἴρηται πρότερον, μεταφορὰ διαφέρουσα προθέσει . διὸ ἧττον ἡδύ, ὅτι μακροτέρως. — Sur le sens — peu clair — de πρόθεσις, cf. I. Tamba-Mecz et P. Veyne, « *Metaphora* et comparaison selon Aristote », in *Revue des Etudes grecques*, XCII, 436-437, Janv.-Juin 1979, p. 77 sq.

(15) *Pour la poétique*, p. 120.

II

LA COMPARAISON OU SIMILITUDE

Pour la rhétorique traditionnelle, la comparaison n'est pas une figure de mot, un *trope,* mais une figure de *pensée.* En termes plus modernes, la comparaison se distingue de la métaphore par l'absence d' « infraction au code lexical » (1) : dans la comparaison, le mot ne signifie pas autre chose que ce qu'il signifie habituellement, alors que dans la métaphore, il se charge d'une signification nouvelle.

« Peut-on même dire que la comparaison est une figure ? » se demande A. Henry (2), qui note qu' « elle n'opère aucun écart entre la pensée et l'expression attendue » et que « *métaphoriser* veut dire, précisément, ... « exprimer sous forme métaphorique », alors que « *comparer* ne veut pas dire « exprimer sous forme de comparaison... »

C'est qu'il se pose ici un problème de terminologie : le mot *comparaison* est, comme le mot *image,* un terme doué d'un sens général beaucoup plus vaste que celui que la rhétorique lui assigne dans les limites assez étroites de son vocabulaire.

_____

(1) *Rhétorique générale*, Larousse, p. 113.
(2) *Métonymie et métaphore*, p. 62.

On notera tout d'abord que le terme de *comparai-*
son ne convient guère à la figure de pensée qui porte
ce nom, puisqu'à la différence de l'opération logique de comparaison, qui consiste, selon Littré (3),
à « examiner simultanément les ressemblances ou
les différences », la figure de comparaison privilégie
toujours l'un des termes — le comparé —, le comparant n'existant que par rapport au terme comparé.

Cette ambiguïté du mot *comparaison* est nettement soulignée par M. Le Guern dans sa *Séman-*
tique de la métaphore et de la métonymie (4) :
« Dans la terminologie grammaticale [le mot de
comparaison] remplace deux mots latins qui correspondent à des notions bien distinctes, la *comparatio*
et la *similitudo*... La *comparatio* est caractérisée
par le fait qu'elle fait intervenir un élément d'appréciation quantitative. La *similitudo,* au contraire,
sert à exprimer un jugement qualitatif, en faisant
intervenir dans le déroulement de l'énoncé l'être,
l'objet, l'action ou l'état qui comporte à un degré
éminent ou tout au moins remarquable la qualité
ou la caractéristique qu'il importe de mettre en
valeur... »

Il est évident que les limites entre la *compa-*
ratio et la *similitudo* ne sont pas toujours aisées
à tracer. Dans son *Etude sur la métaphore* (5),
H. Konrad montre comment le critère qui permet
de distinguer la « comparaison métaphorique »

---

(3) *Dictionnaire,* s.v. *comparer.*
(4) P. 63.
(5) P. 150.

— la *similitudo* — de la « vraie comparaison » (6)
— la *comparatio* — est *l'exagération* ; il suffit de
comparer : « il est *fort* comme son *père,* avec il
est *fort* comme un *lion.* Elle est *belle* comme sa
sœur, avec elle est *belle* comme une *rose.* » Et
l'auteur poursuit : « Dans la première, nous trouvons une comparaison exacte, dans la seconde,
nous sous-entendons une exagération *voulue.* Dans
l'une et l'autre métaphore (7), il y a un rapprochement d'un objet avec un autre objet qui se
présente à nos yeux comme l'exemple le plus
parfait d'un de ses attributs... »

Les choses sont en fait plus complexes, et il
existe toute une catégorie de comparaisons qui,
tout en étant *vraies*, font intervenir un jugement
qualitatif et non une appréciation quantitative,
et qui sont par conséquent du domaine de la
similitudo et non de la *comparatio.* C'est à cette
catégorie qu'appartiennent les *exemples*, si nombreux chez Rabelais, dont nous reparlerons dans

---

(6) Cf. aussi la *Rhétorique générale,* Larousse, p. 113 : « ... il
faut éliminer soigneusement une classe de comparaisons qui
sont de toute manière en dehors du champ rhétorique : ce
sont les comparaisons que nous pouvons appeler « vraies ».
Pour rappeler que les figures de rhétorique sont, elles, toujours « fausses ». Par exemple, « il est fort comme son
père » ou « elle est belle comme sa sœur » peuvent n'être
qu'une assertion correcte. On remarque cependant que si
« il » est un gringalet et « elle » un laideron, la figure
revient au galop ; on parle par *ironie* et c'est là, dans
notre système, un métalogisme, donc une figure qui met
nécessairement en cause le référent du message. »
(7) Nous dirions plutôt : comparaison métaphorique, ou
similitude.

ce premier livre (8), et toutes les comparaisons
descriptives qui suggèrent les êtres et les objets
imaginaires du monde romanesque par référence
à des images réelles, figures dont l'exagération et
le grossissement sont rarement absents (9).

*
* *

Nous voudrions, en terminant, retenir une suggestion de M. Le Guern : celui-ci, après avoir remarqué, comme nous l'avons dit, l'ambiguïté du terme
de *comparaison,* propose qu'on donne le nom de
similitude à la figure de pensée qui nous occupe ;
« rien ne s'oppose à ce que l'on sorte de l'oubli
ce mot commode et que l'on s'en serve pour exprimer la notion de *similitudo,* en réservant au mot
comparaison le sens de formulation logique d'une
comparaison quantitative... » (10) Nous mettrons
en pratique cette remarque dans la suite de ce
premier livre et dans notre étude des images
chez Rabelais.

---

(8) Cf. plus bas ch. VI, et aussi Troisième partie, ch. I :
L'écart entre les deux termes, p. 85 sq.
(9) Cf. p. ex. G./XVI/8 : la jument de Gargantua était
« *grande comme six oriflans* » (éléphants).
(10) *Op. cit.* p. 53.

III

LA MÉTAPHORE

Bien que le terme de μεταφορα ait eu en grec, comme en français le mot *comparaison,* un sens large et général — toute sorte de transfert — et un sens étroit et rhétorique — transfert de sens —, le mot français *métaphore* est strictement réservé au domaine des figures de style, et son emploi est donc moins ambigu que celui du mot *comparaison.*

Qu'est-ce que la métaphore ? C'est « l'affectation d'un signifiant à un signifié secondaire associé par ressemblance au signifié primaire » (1).

Pour éviter toute confusion avec ces termes de la linguistique structurale, qui appelle *signifiant* la séquence phonologique correspondant à un certain contenu sémantique qu'elle nomme *signifié,* et afin de suggérer la symétrie avec le couple : *objet comparant — objet comparé,* nous précisons ici que nous appellerons *objet signifiant* l'objet métaphorique, et *objet signifié* l'objet auquel l'objet métaphorique est identifié.

---

(1) R. Jakobson, *Problèmes du langage,* Paris, N.R.F., 1966, p. 34 in P. Caminade, *Image et métaphore,* Paris, Bordas, 1970 p. 74.

Dans son traité *Des Tropes* (2), Dumarsais définit la métaphore comme « une figure par laquelle on transporte (3), pour ainsi dire, la signification propre d'un nom à une autre signification qui ne lui convient qu'en vertu d'une comparaison qui est dans l'esprit... Un mot pris dans un sens métaphorique, perd sa signification propre, et en prend une nouvelle qui ne se présente à l'esprit que par la comparaison que l'on fait entre le sens propre de ce mot, et ce qu'on lui compare : par exemple, quand on dit que *le mensonge se pare souvent des couleurs de la vérité,* en cette phrase, *couleurs* n'a plus sa signification propre et primitive : ce mot ne marque plus cette lumière modifiée qui nous fait voir les objets ou blancs, ou rouges, ou jaunes : il signifie *les dehors, les apparences...* »

Dumarsais montre bien dans ces lignes que le signifiant métaphorique perd une partie des éléments qui composent sa signification globale, c'est-à-dire de ses *sèmes,* idée reprise par les théoriciens modernes, tels H. Konrad (4) (« Lorsque nous employons une métaphore, nous sommes obligés de faire abstraction de plusieurs attributs que le terme métaphorique évoque en nous dans son emploi normal ») et M. Le Guern (5) (« Il est ... nécessaire de faire appel à la notion d'attribut dominant : cet attribut dominant est le trait de similarité qui sert de fondement à l'établissement

----

(2) Paris, Barbou, 1801, p. 155-156.
(3) C'est, on vient de le voir, le sens premier du terme (μεταφέρειν signifie « transporter »).
(4) *Etude sur la métaphore*, p. 35.
(5) *Sémantique de la métaphore et de la métonymie*, p. 41.

du rapport métaphorique... La *sélection sémique* (6) opérée par le mécanisme métaphorique suppose donc une organisation hiérarchique des éléments de signification. »)

Cet attribut dominant, grâce auquel un terme peut être assimilé à un autre, n'est pas exprimé dans l'opération métaphorique : dire de quelqu'un qu'il est un *lion* revient à dire qu'il a la force, la noblesse, l'orgueil d'un lion, mais seul le contexte permet de préciser l'attribut sélectionné. Ce fait relève de ce que Charles Bally appelle *hypostase lexicale,* « mode de transposition implicite où la catégorie d'emprunt, en l'absence de tout transpositeur, n'est marquée que par l'entourage syntagmatique » (7) : dans la métaphore, le transpositeur, est sous-entendu, alors que dans la similitude, il peut être ou non exprimé (il est *fort comme* un lion, il est *comme* un lion).

Dumarsais est moins heureux lorsqu'il écrit qu' « un mot pris dans un sens métaphorique perd sa signification propre » : comme l'explique la *Rhétorique générale* (8), il ne s'agit pas d'une « substitution de sens », mais d'une « modification du contenu sémantique d'un terme », la métaphore étant rendue possible par « une intersection entre les deux termes, partie commune à la mosaïque de leurs sèmes ou de leurs parties ».

---

(6) C'est nous qui soulignons.
(7) *Linguistique générale et linguistique française,* § 257 et 262.
(8) Larousse éd., p. 106-107.

Les auteurs de la *Rhétorique générale* montrent ensuite que non seulement le sens propre ne disparaît pas dans la métaphore, puisque les sèmes incompatibles avec le sens figuré, ou tout au moins étrangers à celui-ci, ne sont pas oubliés, mais que c'est de l'équilibre entre la force d'attraction des sèmes communs et la force de répulsion des sèmes incompatibles que dépend la qualité de l'image (9) : « ... si cette partie commune est nécessaire comme base probante pour fonder l'identité prétendue, la partie non commune n'est pas moins indispensable pour créer l'originalité de l'image et déclencher le mécanisme de réduction (10). La métaphore extrapole, elle se base sur une identité réelle manifestée par l'intersection de deux termes pour affirmer l'identité de termes entiers. Elle étend à la réunion des deux termes une propriété qui n'appartient qu'à leur intersection » (11). Paul Claudel avait trouvé pour définir la métaphore une formule assez juste : « l'opération qui résulte de la seule existence conjointe et simultanée de deux choses différentes » (12).

---

(9) Cf. la IIIe partie de notre étude, ch. I : l'écart entre les deux termes.
(10) Cf. Tudor Vianu, *Problemele metaforei si alte studii de stilistică*, Bucarest, 1957, p. 20 : « Les similitudes ne doivent pas dominer la conscience pour que nous ayons métaphore. Seule l'alternance de la conscience des différences et de la conscience des rapprochements, fondée sur l'opération logique d'une double abstraction, réalise la métaphore dans la pleine acception du mot » (cité par H. Wald, « Métaphore et concept », in *Revue de métaphysique et de morale*, avril-juin 1966, p. 208).
(11) *Rhétorique générale*, p. 107.
(12) *Art poétique, Connaissance du temps*, in *Oeuvre poétique*, Pléiade, p. 143.

Nous touchons ici à la nature profonde de la métaphore, et à ce qui fait sa puissance de suggestion et son originalité : quelle que soit la force d'une similitude, l'écrivain qui l'emploie ne pousse pas l'audace jusqu'à identifier les termes rapprochés. Seule la métaphore permet l'identification des deux termes de l'image. Comme le note Gaston Esnault, « cette identité n'est pas l'identité rationnelle, scientifique, dont le dessein est d'être éternellement vraie ; c'est une identité pour l'imagination, partielle, précaire peut-être, mais qui exprime la présente réaction sensible du sujet... La métaphore est un impressionnisme synthétique. Elle est poésie, – et « faiseuse » (13).

Il existe des degrés dans la puissance métaphorique : Hans Adank distingue avec raison les métaphores explicatives, les métaphores affectives, et celles qui possèdent ces deux qualités à la fois. La métaphore affective repose sur une analogie de *valeur*, la métaphore explicative, sur une analogie de *fait* : ainsi « le mot *squelette* ... peut avoir deux significations. L'une met en relief la manière sèche et aride dont un travail a été fait et suggère le sentiment d'horreur qu'inspire la vue d'un squelette : donc analogie de valeur et métaphore affective péjorative. Mais on peut parler du squelette d'un ouvrage et entendre par là le canevas,

---

(13) *L'Imagination populaire, métaphores occidentales,* Paris, 1925, p. 30-31. Cf. A. Breton, *les Vases communicants,* Paris, 1955, p. 148 : « comparer deux objets aussi éloignés que possible l'un de l'autre, ou, par toute autre méthode les mettre en présence d'une manière brusque et saisissante, demeure la tâche la plus haute à laquelle la poésie puisse prétendre ».

ce qui fait le soutien solide d'un développement
littéraire ou scientifique. Il est alors impossible
d'y voir quoi que ce soit de dépréciatif, tout
sentiment de valeur se rattachant à un squelette
réel étant exclu. C'est uniquement à une analogie
fonctionnelle, donc logique, qu'on fait allu-
sion » (14). La métaphore la plus riche est évidemment celle qui comporte à la fois « une analogie
de valeur et une analogie de fait » et H. Adank
cite comme exemple « la tournure hugolienne : « la
mer, dessous, terne et *plombée...* » (*Les Travail-
leurs de la Mer,* III, 6). Le mot *plombée* dégage
chez le lecteur à la fois une impression de couleur
grisâtre et une sensation de lourdeur pénible » (15),
c'est-à-dire une double analogie, de fait et de
valeur (16).

Comme nous l'avons dit plus haut (17), il
serait maladroit d'affirmer la supériorité de la
métaphore sur la similitude. Que la première soit
douée d'une immédiateté qui fait défaut à la seconde, que le pouvoir de comparaison de celle-ci
établisse entre les choses des rapports moins étroits
que ceux qu'engendre le pouvoir d'identification
de celle-là, que la figure de pensée n'ait pas la force
de synthèse cosmique de la figure de mot, c'est ce
qu'on peut affirmer, sans qu'il soit nécessaire de
déprécier la similitude.

---

(14) Hans Adank, *Essai sur les fondements psychologiques
et linguistiques de la métaphore affective,* Genève, 1939,
p. 101-102.
(15) *Op. cit.* p. 119-120.
(16) Cf. P. Caminade, *Image et métaphore,* Paris, Bordas,
1970, p. 135 : « [la] valeur poétique [de la métaphore]...
dépend de son potentiel de connotation et de sa charge
affective ».
(17) P. 24.

Le trait distinctif de la métaphore nous paraît être sa nature *verbale,* opposée à la nature conceptuelle de la similitude, que la rhétorique classe, ainsi que nous l'avons rappelé (18), parmi les figures de pensée. Cependant, du point de vue stylistique, les deux figures ne sont pas aussi éloignées que cette distinction pourrait le faire croire : c'est ce que prouve l'étude de leurs formes grammaticales.

_____

(18) P. 25.

IV

LES FORMES GRAMMATICALES DE LA SIMILITUDE ET DE LA MÉTAPHORE

Dans les pages qui précèdent, nous avons tenté de montrer à la fois les liens qui unissent similitude et métaphore, et la différence de nature qui les sépare. L'ambiguïté des rapports qui existent entre ces deux figures se révèle particulièrement lorsqu'on étudie les formes sous lesquelles elles se présentent dans le discours. On constate en effet que de nombreuses nomenclatures passent insensiblement de l'une à l'autre figure sans qu'il y ait, en apparence du moins, de solution de continuité entre elles. C'est ainsi que pour certains critiques, tout se passe comme si la similitude et la métaphore n'étaient que les formes grammaticales d'une même figure (1).

Le classement que nous entreprenons dans ce chapitre doit nous permettre de vérifier en même temps les deux idées que nous avons développées plus haut (cf. ch. I) : d'une part la parenté très

---

(1) Cf. p. ex. H. Konrad, *Etude sur la métaphore,* p. 49, qui distingue les « métaphores par simple substitution de termes », les métaphores « par attribution », et les métaphores « *par comparaison* » (c'est nous qui soulignons).

étroite des deux figures, au point qu'une étude de
l'imagination créatrice d'un écrivain ne saurait
exclure l'une ou l'autre, et d'autre part l'hétéro-
généité de chacune d'entre elles, qui interdit de
faire de l'une un simple cas particulier de l'autre.

I. LA SIMILITUDE

Dans la plupart des cas, la similitude est exprimée à l'aide d'un outil de comparaison. Ce dernier
n'est cependant pas indispensable.

A - Similitude explicite : la comparaison est faite
grâce à un mot-outil, le plus fréquent étant *comme.*

*a) le comparant est complément du comparé et
revêt des formes diverses* (2) :

α) *un système comparatif complet* : proposition subordonnée comparative introduite par
*comme, de même que, de la même façon que, ainsi
que, tel que* (3), etc. (comparant) + proposition
principale, dans laquelle se trouve souvent un terme corrélatif, *de même, ainsi, tel,* etc. (comparé) :

> *Comme* le champ semé en verdure foisonne,
> De verdure se haulse en tuyau verdissant,
> Du tuyau se herisse en epic florissant,

---

(2) C'est ce qu'A. Henry appelle « structures serrées »
(*Métonymie et métaphore* p. 62).
(3) On trouve assez souvent *tel* employé seul, et s'accor-
dant tantôt avec le comparant, tantôt avec le comparé
(exemple de Grévisse, *Bon Usage,* § 460 A 1° a Rem. 3 :
« sa voix claque, *tel un fouet* », ou « *telle un fouet* »).

D'epic jaunit en grain, que le chauld assaisonne,
. . . .
Ainsi de peu à peu creut l'Empire Romain . . .
                    (Du Bellay, *Antiquitez de Rome*, XXX)

β) *une subordonnée elliptique*, que beaucoup de grammairiens considèrent comme un simple complément de comparaison, malgré la présence d'une conjonction, *comme, que*, etc. :

La terre est bleue *comme* une orange.
                    (P. Eluard, *Premièrement*)

γ) *un complément d'un verbe ou d'un adjectif :* les verbes *sembler, ressembler (à),* les adjectifs *semblable (à), pareil (à)* peuvent établir une similitude entre deux termes :

Nous *ressemblons* tous à des eaux courantes...
                    (Bossuet, *Oraison fun. d'Henriette d'Angl.*)

Le Poète est *semblable* au prince des nuées...
                    (Baudelaire, *l'Albatros*)

Il nous paraît tout à fait inexact de dire que ce type de construction peut se rattacher aussi bien à la similitude qu'à la métaphore (4) : en effet, il n'y a nullement *identification,* les deux termes étant seulement *comparés* : l'expression *identification atténuée* que D. Bouverot applique à ce genre de figure nous semble de surcroît impropre : une figure ne peut identifier partiellement. Elle identifie,

_____

(4) D. Bouverot, « Comparaison et métaphore », in *le Français moderne*, avril 1969, p. 133.

ou n'identifie pas. Dans le cas cité, nous sommes en présence d'une *similitude,* c'est-à-dire d'une figure qui rapproche deux termes, sans aller toutefois jusqu'à suggérer leur identité.

δ*) un comparant relié par la préposition* de *à la qualité commune qui permet l'image :*

> « Le bleu du ciel... avait *des douceurs de satin* » (5)
> (Flaubert, *L'Education sentimentale,* Garnier p. 209)

ε*) un « appariement » :* nous empruntons à la *Rhétorique générale* ce mot, qui désigne les similitudes exprimées à l'aide d'un terme de parenté, *sœur, cousin...,* outil de comparaison qui est lui-même « une métaphore de *comme* » (6) :

> Voix lactée ô *sœur* lumineuse
> Des blancs ruisseaux de Chanaan
> (Apollinaire, *Alcools, Chanson du Mal Aimé*)

b*) le comparant et le comparé sont juxtaposés et précédés chacun d'un outil de comparaison* (7) : *autant... autant..., tel... tel...*
C'est plus un type de *comparaison* que de similitude, puisque, comme nous l'avons montré plus haut (8), celle-là met les deux termes sur le même plan, tandis que celle-ci privilégie le comparé.

---

(5) La tournure équivaut à : * était doux comme du satin.
(6) *Op. cit.* p. 115.
(7) Ce sont des « structures juxtaposées avec marque » (A. Henry, *loc. cit.*).
(8) P. 26.

B - Similitude implicite : les deux termes comparés sont juxtaposés sans qu'aucun outil signale l'existence d'une similitude :

> « Mais le génie, même le grand talent, vient moins d'éléments intellectuels et d'affinement social supérieurs à ceux d'autrui, que de la faculté de les transformer, de les transposer. Pour faire chauffer un liquide avec une lampe électrique, il ne s'agit pas d'avoir la plus forte lampe possible, mais une dont le courant puisse cesser d'éclairer, être dérivé et donner, au lieu de lumière, de la chaleur » (9).

Suit un second comparant, encore juxtaposé, puis le comparé est exprimé à nouveau, cette fois d'une manière explicite : « *De même* ceux qui... » (10).

C'est ici que l'analyse est la plus délicate. En effet, la juxtaposition n'est pas propre aux similitudes : c'est aussi le trait caractéristique de beaucoup de métaphores. Et il arrive qu'on ait quelque peine à décider si la figure qu'on étudie est similitude ou métaphore, tant est subtile la « différence entre une métaphore... exprimée en juxtaposition phrastique, et une comparaison par simple mise en parallèle » (11).

En théorie, le « diagnostic » est facile à établir : selon qu'on peut répondre par oui ou non à la question : le comparant et le comparé sont-ils identifiés ? on se trouve en présence d'une métaphore ou d'une similitude. Dans la pratique, les

---

(9) M. Proust, *A l'ombre des jeunes filles en fleurs,* Pléiade, t. I, p. 554.
(10) Passage cité plus bas, p. 52-53.
(11) A. Henry, *Métonymie et métaphore,* p. 110.

choses sont plus complexes : en effet, tant qu'il
existe un outil quelconque qui sert à établir la
comparaison, on peut nier qu'il y ait identification
et affirmer qu'on se trouve en présence d'une
similitude. Mais dans les cas de juxtaposition pure
et simple, il est parfois malaisé de trancher : « si
le rapprochement est poussé jusqu'à l'identification, on aura une métaphore ; mais l'identification
pourra être plus ou moins totale ; en cas de juxtaposition imparfaite, l'image restera intermédiaire
entre la comparaison et la métaphore » (12). Si
nous avons repoussé plus haut la notion d' « identification atténuée », c'est que des critères suffi-
sants nous permettaient d'affirmer l'existence
d'une similitude — et par conséquent l'impropriété
du mot *identification.* Il est beaucoup plus malaisé
de se prononcer ici, puisque rien n'indique la
nature du lien qui unit les deux termes.

Ainsi dans ce passage de Montaigne (13), une
première image, présentée explicitement sous
forme de similitude, est suivie d'une courte phrase
qu'on peut prendre aussi bien pour une similitude
à termes juxtaposés que pour une métaphore :

> « Quand ils nous ordonnent d'aymer avant nous
> trois, quattre et cinquante degrez de choses, ils repré-
> sentent l'art des archiers qui, pour arriver au point,
> vont prenant leur visée grande espace au dessus de
> la bute. *Pour dresser un bois courbe, on le recour-
> be au rebours* ».

---

(12) M. Le Guern, *L'Image dans l'œuvre de Pascal,* p. 197.
(13) *Essais,* III, 10, éd. Villey (P.U.F.), p. 1006.

II. LA MÉTAPHORE

Alors que la similitude ne peut exister qu'entre deux termes exprimés, l'opération intellectuelle de la comparaison portant obligatoirement sur deux objets — on ne compare une chose qu'avec une autre —, la métaphore, figure de mot et non figure de pensée, peut, quoiqu'elle identifie deux objets, l'objet signifié et l'objet signifiant, n'exprimer que ce dernier. On distingue, selon la présence ou l'absence de l'objet signifié, la métaphore *in praesentia* et la métaphore *in absentia*.

1) La métaphore in praesentia : elle comporte, comme la similitude, deux termes exprimés, mais à la différence de celle-ci, elle les identifie au lieu de les rapprocher seulement.

A - Métaphore appositionnelle : l'objet signifiant a pour fonction d'être mis en apposition à l'objet signifié :

Cheveux bleus, pavillons de ténèbres tendues...
(Baudelaire, *la Chevelure*)

On peut encore trouver l'ordre : objet signifiant + objet signifié :

Bergère ô tour Eiffel ...
(Apollinaire, *Alcools, Zône*)

B - Métaphore attributive : l'objet signifiant est attribut de l'objet signifié, ou vice-versa :

Votre âme *est* un paysage choisi...
(Verlaine, *Fêtes galantes, Clair de lune*)

Il existe d'autres copules que le verbe *être* :
devenir, être fait, être appelé, etc. (14). L'objet
signifié peut également être complément d'objet
direct, et l'objet signifiant attribut de celui-ci
(avec *appeler, rendre, faire...*).

*C - Objet signifié rattaché à l'objet signifiant
par* de : dans un article déjà cité (15), D. Bouverot
donne comme exemple de métaphore de ce type
l'expression « aux yeux de velours » avec « la
variante possible * le velours de tes yeux ». Disons
tout de suite que ces exemples nous paraissent
inadéquats : en effet, si nous représentons l'objet
signifié par A et l'objet signifiant par B, dans les
deux constructions A de B et B de A, il faut que
A = B. Or dans l'expression « yeux (A) de velours (B) », A et B ne désignent pas respectivement
les objets signifié et signifiant : *velours* est tout
simplement une métaphore *in absentia,* qui renvoie
à un objet signifié non exprimé (douceur). La
même remarque s'applique à la construction
inverse : « le velours de tes yeux », et de façon
générale à toutes les images qui suggèrent une
matière dans laquelle une chose est faite :

« Ainsi M. Grandet avait-il un caractère de bronze... »
                                        (Balzac, *Eugénie Grandet*)

---

(14) Il faut cependant éviter de ranger dans cette liste le
verbe *sembler,* puisque, comme on l'a dit plus haut, il
établit un rapport de similitude et non le rapport métaphorique d'équivalence.
(15) « Comparaison et métaphore », in *Le Français Moderne,* avril 1969, p. 133.

On pourrait dire : « *le bronze de son caractère », mais on ne dirait pas que son caractère *était du bronze,* on dirait que son caractère *était en bronze.*

Au contraire, « Maudit serpent de fille » (*Ibidem*) est bien une métaphore *in praesentia* (cette fille *est un serpent*).

L'autre exemple donné par D. Bouverot (« le gouffre de tes yeux ») est, lui, tout à fait pertinent.

Dans ce type de construction, l'objet signifié est mis en apposition à l'objet signifiant, l'inverse étant impossible (* *les yeux de gouffre* est un non-sens). Lorsqu'on se trouve devant une expression du type A de B, on peut donc affirmer qu'il y a bien métaphore *in praesentia* sous forme appositionnelle à la condition qu'on ne puisse pas retourner l'expression.

L'ambiguïté de ce type de construction a été mise en lumière par Christine Brooke-Rose, dans des lignes qui méritent d'être citées (16) : « this is the most complex type of all, for the noun metaphor is linked sometimes to its proper term, and sometimes to a third term which gives the provenance of the metaphoric term : B *is part of,* or *derives from,* or *belongs to,* or *is found in* C, from which relationship we can guess A, the proper term (e. g. the hostel of my heart = body). The complexity of the type is partly due to the fact that *the same grammatical links ... are used to express many different relationships ...* » (17).

---

(16) *Op. cit.* p. 24-25.
(17) C'est nous qui soulignons.

Nous pouvons résumer cette distinction à l'aide des exemples et des schémas suivants :

a) le casque d'or de sa chevelure :

$$B \quad = \quad A$$

(le contraire est impossible)

B = A : le casque d'or = la chevelure
(*métaphore in praesentia*)

Valeur
grammaticale
de *de* :
introduit
une *apposition*

b) l'or de sa chevelure / sa chevelure d'or :

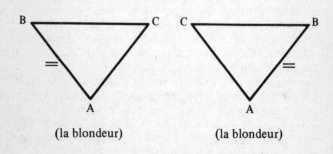

(la blondeur)   (la blondeur)

B = A : l'or = la blondeur
(métaphore *in absentia*)

Valeur
grammaticale
de *de* :
introduit
un *complément*
déterminatif

2) La métaphore in absentia : l'exemple b que
nous venons de donner est un cas de métaphore
in absentia ; l'objet signifié est sous-entendu,
seul est présent l'objet signifiant, qui peut être
exprimé par un nom, un verbe, un adjectif ou un
adverbe.

a) un nom : dans le vers célèbre de Ronsard

Cueillez dés aujourdhuy les roses de la vie (18),

roses (= plaisirs) est une métaphore nominale *in
absentia* (19). Il faut, pour que l'objet signifié
non exprimé puisse être déduit, que le contexte
mette l'esprit sur la voie : « cueillez dès aujourd'hui
les roses » serait incompréhensible. Dans le vers de
Ronsard, c'est de l'étude de la relation *roses-vie*
qu'on peut tirer, selon le processus analysé par
Christine Brooke-Rose dans les lignes que nous
avons citées plus haut, l'objet signifié absent du
discours. D'une manière plus générale, on peut

_____

(18) *Sonnets pour Hélène,* 1578, II, 24.
(19) Si Ronsard, voulant suggérer la brièveté de la vie
— semblable à celle de la rose — avait écrit :
  * Cueillez dès aujourd'hui *la rose* de la vie
rose (= vie) serait une métaphore *in praesentia,* selon la
distinction que nous venons d'établir.

dire que l'objet signifié ne peut être découvert qu'après une confrontation de l'objet signifiant avec le contexte : à la limite, la métaphore *in absentia* peut être inintelligible.

b) un verbe : ce problème de l'intelligibilité de la métaphore n'existe pas dans le cas de la métaphore verbale *in absentia.* Soit le vers de V. Hugo :

> Feuilles qui tressaillez à la pointe des branches
> *(Contemplations,* III, 24),

le sens de *tressaillez* ne fait aucun doute : le sujet du verbe ôte toute ambiguïté à l'image. La métaphore verbale est donc beaucoup moins audacieuse que la métaphore nominale : celle-ci fait subir au nom un transfert explicite, celle-là un transfert implicite (20) ; celle-ci substitue un nom à un autre, celle-là ne fait que transférer au sujet ou au complément du verbe un attribut facile à déduire de ce dernier (21), la tendance la plus fréquente de la métaphore verbale étant la personnification ou l'animation des objets inanimés ou des abstractions, comme dans G./XXXV/62 :

> « ...il convient à tous chevaliers reverentement *traicter* leur bonne fortune, sans la *molester* ny *gehainer*... »

c) un adjectif : dans son *Etude sur la métaphore* (22), H. Konrad remarque que « la plupart des méta-

---

(20) Cf. Ch. Brooke-Rose, *op. cit.* p. 211-212.
(21) Supposons que Ronsard ait écrit :
    * *Cueillez* dès aujourd'hui les plaisirs de la vie,
il y aurait dans ce cas transfert au nom *plaisirs* de l'attribut métaphorique *fleurs.*
(22) P. 156.

phores d'êtres animés aux inanimés, sont des métaphores verbales, tandis que la transposition des adjectifs s'effectue, au contraire, le plus souvent des êtres inanimés aux animés (Exemples : la pendule *marche,* la terre *boit,* le vent *souffle,* le ruisseau *murmure* ; mais un vieillard *vert,* un cœur *dur,* un homme *sec*...). Il n'est pas difficile de trouver l'explication de ce fait car les actions sont naturellement plus frappantes et se font mieux remarquer dans les êtres animés, tandis que les formes les plus visibles dans l'immobilité, c'est-à-dire les attributs, sont mises plus fortement en relief dans les objets inanimés et condamnés ordinairement au repos. »

Cette distinction, valable pour le langage courant, est souvent infirmée par la volonté particulière d'un auteur : ainsi Hugo, pour humaniser la nature et lui donner une âme, emploie beaucoup de métaphores non seulement verbales, mais adjectives, qui vont, les unes comme les autres, dans le sens d'une animation des objets inanimés, comme dans ce vers des *Contemplations* (V, 23) :

De noirs granits *bourrus,* puis des mousses *riantes.*

Le mécanisme est le même que celui de la métaphore verbale (transfert d'un attribut au substantif qualifié) (23).

Certains adjectifs, par leur composition, sont plus proches de la comparaison que de la métaphore (24), p. ex. *filiforme* (*en forme de* fil).

(23) [La métaphore adjective] « ... has this in common with the verb, that it implicitly changes the noun it qualifies... » (Chr. Brooke-Rose, *op. cit.* p. 239).
(24) « It is in fact very easy for the adjective to border on comparison » (*ibidem,* p. 245).

d) un adverbe : les exemples d'image adverbiale sont plus difficiles à trouver. Mis à part quelques emplois courants dans la langue de tous les jours, où l'image est plus ou moins vivante (accueillir *fraîchement,* traiter *royalement,* etc...) (25), ce type est rare. On distinguera :

— les cas où l'adverbe est formé sur un adjectif de sens métaphorique ; la métaphore adverbiale équivaut alors à la métaphore adjective correspondante (accueillir *fraîchement* : réserver un accueil *frais*).

— les cas où l'adverbe est formé sur un adjectif ou un substantif non métaphorique, comme dans les créations pittoresques de Marot *(Epistre à Lyon Jamet)* :

Secouru m'as fort *lionneusement,*
Or secouru seras *rateusement.*

On a affaire ici à une *similitude* plutôt qu'à une métaphore, puisque *lionneusement* équivaut à : comme un lion, le suffixe *-ment,* issu de *mente,* ayant valeur de complément circonstanciel de manière (26).

_____

(25) L'exemple de métaphore adverbiale que donne Hans Adank *(Essai sur les fondements psychologiques et linguistiques de la métaphore affective,* p. 157) : « la lumière coule mollement » (E. & J. de Goncourt, *Sœur Philomène,* ch. I), est presque un cliché.
(26) « The noun-idea is sometimes so strong that some adverbs border on comparison to noun » (Chr. Brooke-Rose, *op. cit.* p. 251).

V

IMAGE FILÉE ET ALLÉGORIE

Il convient d'ajouter à l'étude de la similitude et de la métaphore proprement dites quelques remarques sur deux types d'images qui sont des formes particulières de la métaphore : l'image filée et l'allégorie.

1) L'image filée

Dans cette phrase de Bossuet : « la vie humaine est semblable à un chemin. Dans l'issue est un précipice affreux : on nous en avertit dès le premier pas ; mais la loi est prononcée, il faut avancer toujours. Je voudrais retourner sur mes pas : Marche, marche. Un poids invincible, une invincible force nous entraîne ; il faut sans cesse avancer vers le précipice « (*Esquisse d'un sermon pour le jour de Pâques,* 1685), une similitude, puis des métaphores « filent » un développement dans lequel la vie est comparée, puis identifiée avec un chemin périlleux.

Au terme habituel de métaphore filée, nous préférons celui d'*image filée,* car il n'est pas rare que la similitude et la métaphore soient associées, soit que l'image commence, comme dans le texte

de Bossuet que nous venons de citer, par une
similitude, et se poursuive par des métaphores,
soit qu'elle débute par des métaphores, et se
close par une similitude :

> « Je venais de comprendre pourquoi le duc de
> Guermantes, dont j'avais admiré ... combien il avait
> peu vieilli bien qu'il eût tellement plus d'années que
> moi *au-dessous* de lui,... ne s'était avancé qu'en trem-
> blant comme une feuille, *sur le sommet peu praticable*
> de quatre-vingt-trois années, *comme si les hommes*
> *étaient juchés sur de vivantes échasses...* » (1)

On peut retenir la définition d'A. Henry (2) :
« la métaphore filée est, dans un développement
conceptuel unitaire, une série de métaphores qui
exploite, en nombre plus ou moins élevé, des
éléments d'un même champ sémique », et la distinction que fait le même auteur (3) entre « la
métaphore filée véritable et la série métaphorique
en variations synonymiques » : alors que la métaphore filée fait avancer l'idée qui est exprimée
sous forme d'image, les variations métaphoriques
ne sont que des redites, et ne font nullement
progresser la pensée, comme dans ce passage de
Proust :

> « Pour faire chauffer un liquide avec une lampe
> électrique, il ne s'agit pas d'avoir la plus forte lampe
> possible, mais une dont le courant puisse cesser d'éclai-
> rer, être dérivé et donner, au lieu de la lumière, de la

---

(1) Proust, *Le Temps retrouvé*, Pléiade, t. III, p. 1047-1048.
(2) *Métonymie et métaphore*, p. 122.
(3) *Ibidem* p. 126.

chaleur. Pour se promener dans les airs, il n'est pas nécessaire d'avoir l'automobile la plus puisssante, mais une automobile qui, ne continuant pas de courir à terre et coupant d'une verticale la ligne qu'elle suivait, soit capable de convertir en force ascensionnelle sa vitesse horizontale. De même ceux qui produisent des œuvres géniales ne sont pas ceux qui vivent dans le milieu le plus délicat, qui ont la conversation la plus brillante, la culture la plus étendue, mais ceux qui ont eu le pouvoir, cessant brusquement de vivre pour eux-mêmes, de rendre leur personnalité pareille à un miroir... » (4)

2) L'allégorie

L'allégorie est proche, par sa nature, de la métaphore filée, et donc de la métaphore tout court : « quand plusieurs métaphores, écrit Cicéron (5), se déroulent l'une à la suite de l'autre, le discours devient tout autre ; c'est pourquoi les Grecs appellent ce genre *Allégorie* : la dénomination est correcte, mais pour ce qui est du genre, [Aristote] fait mieux d'appeler *métaphores* toutes ces figures ».

Cependant une métaphore filée n'est pas forcément une allégorie : il faut, pour qu'on puisse employer ce terme, que l'image soit à la fois sur

_____

(4) *A l'ombre des jeunes filles en fleurs*, Pléiade, t. I, p. 554. Cf. plus haut p. 41.
(5) « Iam cum fluxerunt continuae plures tralationes, alia plane fit oratio ; itaque genus hoc Graeci appellant ἀλληγορίαν : nomine recte, genere melius ille qui ista omnia tralationes vocat » (*Orator*, XXVII, 94, cf. *De Oratore*, III, 41, 166 : « non est in uno uerbo tralato, sed ex pluribus continuatis conectitur »).

le plan formel, une *métaphore filée*, et sur le
plan conceptuel, une *personnification* ou une
matérialisation (6). On peut retenir à ce sujet
la distinction de M. Antoine entre « l'image per-
sonnifiante et l'image matérialisante », deux types
d'allégorie qui s'opposent, le premier correspondant à des « images égocentriques ... tendant de
soi vers la personnification (et même la personna-
lisation) des éléments du monde extérieur », le
second à des « images cosmocentriques », tendant
« vers la matérialisation d'un concept ou d'un être
moral » (7).

---

(6) Cf. A. Henry, *op. cit.* p. 122, n. 18 : « l'allégorie est
une métaphore filée qui personnifie une idée abstraite ».
Pratiquement, à cause d'une tradition non seulement littéraire, mais aussi picturale (cf. la *Mélancolie* de Dürer), nous
emploierons le terme d'*allégorie* à propos de Rabelais
quand il y a personnification ou matérialisation, même en
l'absence d'une structure filée, p. ex. dans G./XX/73, où
l'auteur parle de *Misere compaigne de Procès*.
(7) In *Langue et littérature*, *Actes du 8e Congrès de la
Fédération internationale de langues et littératures modernes* (1960), Paris, Les Belles Lettres, 1961, p. 159.

VI

PROVERBE ET EXEMPLE

On a coutume de ne considérer comme images que les formes les plus évidentes et les plus courantes de celles-ci, métaphores, similitudes ou encore allégories. Cependant, le processus de la similitude et celui de la métaphore permettent d'expliquer également d'autres figures, en particulier les proverbes et les exemples.

1) Le proverbe

« Le proverbe est une formule nettement frappée, *de forme généralement métaphorique* (1), par laquelle la sagesse populaire exprime son expérience de la vie » (2). Le proverbe apparaît bien comme l'expression d'une idée par l'intermédiaire d'une image, l'une étant substituée à l'autre grâce à un lien d'analogie — ce qui est la définition de la métaphore.

---

(1) C'est nous qui soulignons.
(2) J. Pineaux, *Proverbes et dictons français*, p. 6.

Le proverbe est donc une *image,* le seul problème qui se pose au stylisticien étant celui de sa fraîcheur : nous verrons ultérieurement, en examinant les différents critères d'après lesquels on peut déterminer l'existence des images littéraires, l'importance qu'on doit accorder à l'originalité de celles-ci (3).

Il convient d'opposer à l'allure métaphorique du proverbe « l'allure directe » du *dicton,* qui « n'emprunte pas la forme imagée du proverbe (4), et de séparer le proverbe proprement dit de l'*expression proverbiale,* qui « se contente de caractériser, par une formule imagée et variable selon les époques et l'usage de la langue, une situation, un homme ou une chose. Un conseil peut en découler, mais par elle-même, l'expression proverbiale ne le contient pas. « Il est fort comme un Turc, méchant comme un singe », constatations d'un état de fait dont le proverbe tirera la conclusion : « Qui s'y frotte s'y pique ». Le proverbe succède ici à l'expression proverbiale » (5).

L'expression proverbiale exprime le plus souvent, sous une forme hyperbolique, que le sujet possède au plus haut degré la qualité ou le défaut considérés. Le stylisticien, qui doit tenir compte des proverbes dans une analyse des images, négligera les dictons, alors qu'il devra s'intéresser aux expressions proverbiales, qui sont en général

---

(3) Cf. IIIe partie, ch. II.
(4) J. Pineaux, *ibidem.*
(5) *Ibidem.* Pour d'autres essais de définition du proverbe et du dicton, cf. Claude Buridant, « Nature et fonction des proverbes dans les *Jeux-Partis* », in *Revue des Sciences humaines,* 163-3-1976, p. 391 sq.

des similitudes, et qui posent, comme les proverbes, le problème de leur existence littéraire, car leur fraîcheur est rare et leur degré de lexicalisation, souvent élevé (ce sont presque toujours des clichés).

Il existe un cas particulier d'expression proverbiale, qu'on pourrait appeler *exemple proverbial,* et qui consiste à rapprocher une situation précise ou un individu déterminé d'une situation ou d'un individu assez connus pour être passés en proverbe : « les proverbes, disait Aristote, sont aussi des métaphores du genre au genre ; par exemple, si un homme en appelle un autre à son aide pour en recevoir un bienfait, et s'il subit un dommage, « c'est dit-on, comme l'habitant de Carpathos avec son lièvre » : tous deux en effet ont été victimes de la même mésaventure » (6). On peut hésiter à relever ces exemples proverbiaux, dans la mesure où l'analogie n'a rien d'imprévu, et où la comparaison est *vraie* (7) : il convient de poser le problème de façon plus large, à propos de toute forme d'*exemple.*

2) L'exemple

Les exemples sont extrêmement nombreux dans la littérature du XVIe s., nourrie de souvenirs

---

(6) *Rhétorique*, III, 11, 1413 a : *Καὶ αἱ παροιμίαι δὲ μεταφοραὶ ἀπ' εἴδους ἐπ' εἶδος εἰσίν . οἷον ἄν τις ὡς ἀγαθὸν πεισόμενος αὐτὸς ἐπαγάγηται, εἶτα βλαβῇ, « ὡς Καρπάθιός », φασιν, « τὸν λαγώ » · ἄμφω γὰρ τὸ εἰρημένον πεπόνθασιν.*
(7) Cf. plus haut, p. 27.

et d'emprunts (8). La notion même d'exemple
vient en droite ligne de la rhétorique gréco-latine :
Aristote, Cicéron, Quintilien « recommandent
expressément à l'orateur de connaître à fond les
exemples de l'histoire, mais aussi ceux de la mytho-
logie et des légendes héroïques » (9).

On a défini l'exemple comme une « histoire
destinée à servir de pièce justificative » (10). Nous
considérons quant à nous qu'il suffit, pour qu'on
puisse parler d'exemple, que soit cité un nom ou
que soit rappelé un trait de conduite qui impli-
quent l'un ou l'autre une comparaison entre
l'exemple cité et une situation précise à propos
de laquelle on le mentionne pour en tirer un
enseignement, une indication sur la conduite à
tenir :

> « Je considere que Moyse, le plus doulx homme
> qui de son temps feust sus la terre, aigrement punis-
> soit les mutins et seditieux au peuple de Israel.
> « Je considere que Jules Cesar, empereur tant de-
> bonnaire ... toutesfois ... en certains endroictz punit
> rigoureusement les aucteurs de rebellion.
> « *A ces exemples*, je veulx que me livrez... Marquet,
> ... ses compaignons fouaciers, ... et ... tous les conseillers,
> capitaines, officiers et domestiques de Picrochole.. »
>
>   (G./L/82)

---

(8) Cf. ce que dit M. Baraz de Montaigne : « les « histoires »
dont fourmillent les *Essais* sont, implicitement du moins,
des fables, des paraboles, des allégories » (« Les images dans
les *Essais* de Montaigne », in *Bibliothèque d'Humanisme et
Renaissance*, XXVII-1965, p. 362).
(9) Ernst Robert Curtius, *La Littérature européenne et le
Moyen Age latin*, trad. p. J. Bréjoux, Paris, P.U.F., 1956,
p. 73.
(10) *Ibidem*.

L'exemple peut être encore une incitation à croire le fait à propos duquel il est allégué : ainsi, pour renforcer l'idée que les âmes des Héros ne peuvent quitter leurs corps sans produire de grands troubles de par le monde, Epistémon et Pantagruel invoquent les exemples de Guillaume du Bellay, d'Anchise et d'Hérode (IV/XXVI/40 sq.).

Toute une littérature s'était donné pour tâche de recueillir ces souvenirs illustres : l'une des plus célèbres de ces compilations est l'ouvrage de Valère-Maxime, *Facta dictaque memorabilia.* Pour les Anciens, la valeur des exemples était avant tout *didactique* — « longum iter per praecepta, breve et efficax per exempla », remarquait Sénèque (11) —, et c'est ce qui fait la différence entre l'exemple et l'image au sens restreint du terme (c'est-à-dire la similitude et la métaphore).

Il faut reprendre ici au plan de la similitude, l'exemple s'apparentant à cette figure, la distinction que Hans Adank établit entre les images explicatives et les images affectives, et que nous avons déjà mentionnée à propos de la métaphore (12) : « La comparaison, dit Hans Adank (13), peut servir à mettre plus de clarté dans un énoncé. Mais son rôle est parfois aussi de communiquer un sentiment. La rhétorique ancienne avait déjà coutume de faire une différence entre ces deux espèces de comparaisons : « l'une (14) oratoire,

---

(11) *Epist.*, 6, 5, cité in *Dictionnaire de Spiritualité,* Paris, Beauchesne, 1958, t. IV, s.v. *Exemplum* (R. Cantel et R. Ricard).
(12) P. 33-34.
(13) *Essai sur les fondements...*, p. 66-67.
(14) Distinction empruntée par H. Adank au *Larousse du XXe s.*, s.v. *comparaison.*

l'autre poétique. La première, *donnée pour exemple* (15) ou pour raison, est une sorte d'induction » employée dans des raisonnements. « La seconde, destinée à éclairer, colorer et embellir l'objet, a pour but de rendre présent à l'imagination l'objet de la pensée... » Les deux comparaisons, oratoire et poétique, supposent dans les choses comparées des analogies. Mais elles présentent aussi des différences : la comparaison oratoire – nous préférons l'appeler explicative – s'appuie sur une analogie objective réelle, intellectuelle, contrôlable par nos sens, notre pensée, tandis que la comparaison poétique – affective selon nous – repose sur une analogie de valeur suggérée par nos sentiments, notre subjectivité ». Et H. Adank d'opposer deux comparaisons, l'une, *explicative* : « l'atome peut se disséquer en éléments encore plus petits et l'ensemble est *comme un petit système solaire avec ses planètes* », l'autre, *affective* : « Il pleure dans mon cœur *comme il pleut sur la ville* ».

L'exemple se rattache évidemment à la comparaison *explicative,* puisque le rapport analogique entre les termes comparé et comparant est réel, concret, exact. Comme Aristote le faisait déjà remarquer, la différence qui existe entre les deux termes d'un exemple est que l'un est plus connu que l'autre (16).

---

(15) C'est nous qui soulignons.
(16) Cf. *Rhétorique*, I, 2, 1357 b : « [il y a exemple] lorsque les deux termes appartiennent au même genre, mais que l'un est plus connu que l'autre », [παράδειγμα ἔστι] ὅταν ἄμφω μὲν ᾖ ὑπὸ τὸ αὐτὸ γένος, γνωριμώτερον δὲ θάτερον ᾖ θατέρου.

On peut donc mettre en doute la valeur « poétique » des exemples ; il convient cependant
de les relever et d'étudier leur rôle, ce que nous
nous efforcerons de faire à propos de l'œuvre de
Rabelais.

DEUXIÈME PARTIE

LES FIGURES DE CONTIGUÏTÉ

MÉTAPHORE, MÉTONYMIE ET SYNECDOQUE

Si les critiques, à quelques exceptions près, donnent le même sens aux termes de *comparaison* (ou de *similitude*) et de *métaphore,* il sont beaucoup plus divisés quand ils emploient les termes de *métonymie* et de *synecdoque.* Il faut donc définir aussi exactement que possible cès deux figures en les situant tout d'abord par rapport à la métaphore.

Les rapports entre objet signifié et objet signifiant au sein de la métaphore et de la métonymie peuvent être schématisés ainsi (1) :

métaphore   métonymie

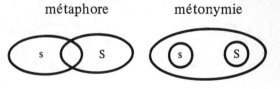

intersection de l'objet signifié (s) et de l'objet signifiant (S) grâce à un attribut commun	contiguïté à l'intérieur d'un même ensemble

---

(1) On trouvera dans la *Rhétorique générale*, p. 118, des schémas à peu près analogues.

Ainsi dans le vers de Saint-Amant (2)

L'or tombe sous le fer,

l'*or* désigne *métaphoriquement* les blés moissonnés, alors que le terme de *moisson,* employé pour désigner ceux-ci (la moisson tombe sous le fer), serait une expression *métonymique* :

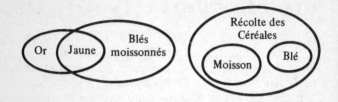

METAPHORE   METONYMIE

Il faut compléter les schémas précédents par celui de la synecdoque, qu'on peut représenter ainsi :

Le tout pour la partie   La partie pour le tout

inclusion de l'objet signifié (s) dans l'objet signifiant (S)   inclusion de l'objet signifiant (S) dans l'objet signifié (s)

(2) *Sonnet sur la moisson d'un lieu proche de Paris (Oeuvres,* 1649, XII), cité — et attribué à tort à Sponde — par P. Caminade, *Image et métaphore,* Paris, Bordas, 1970, p. 73.

On peut fort bien conserver, comme le fait Charles Bally (3), les quatre expressions latines :

- *totum pro toto* (métaphore)
- *pars pro parte* (métonymie)
- *pars pro toto* ou *totum pro parte* (synecdoque)

qui correspondent bien au mécanisme des trois figures étudiées.

Dans le vers de Saint-Amant, le mot *fer* pourrait être considéré comme une synecdoque, le terme ne désignant que la partie métallique et tranchante de la *faucille* (synecdoque de la partie pour le tout) :

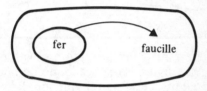

Cependant cette interprétation n'est guère satisfaisante : le mot *fer* appliqué à tout objet tranchant (épée, hache, etc.), est ordinairement considéré comme une synecdoque de la matière pour l'objet fabriqué dans cette matière. Dans ce cas, la synecdoque se produirait en sens inverse (synecdoque du tout pour la partie) :

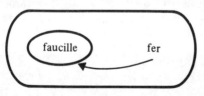

_____

(3) *Linguistique générale et linguistique française,* p. 137, n. 1.

Mais on peut objecter qu'un objet fabriqué n'est pas à proprement parler une partie du tout que représente la matière brute : l'outil appelé faucille n'est pas une partie de la masse totale du fer, c'est une partie (produit fini) pour une autre partie (matière brute) : il y a donc ici un glissement métonymique :

On comprend « les hésitations des théoriciens à placer cette figure [la synecdoque de la matière] dans la catégorie de la métonymie ou dans celle de la synecdoque » (4).

On peut néanmoins tenir l'emploi du mot *fer* dans le vers de Saint-Amant pour une métonymie, et dire plus généralement que le fait d'exprimer un objet par la matière qui le compose ne relève pas de la synecdoque du tout pour la partie, comme l'écrivent la plupart des traités de rhétoririque — par exemple celui de Fontanier (5) —, mais de la *métonymie* : que l'on considère en effet l'expression de Saint-Amant ou des expressions

---

(4) M. Le Guern, *Sémantique de la métaphore et de la métonymie*, p. 31.
(5) *Les Figures du discours*, Paris, Flammarion, 1968, p. 90-91.

voisines, comme *l'airain* pour la cloche ou le canon en airain, *la porcelaine* pour le vase en porcelaine, etc., les totalités que sont la porcelaine, l'airain ou le fer ne sont pas des totalités synecdochiques, c'est-à-dire constituées de parties bien définies et qu'on peut nommer (dans l'exemple du mot *voiles* pour bateaux, synecdoque de la partie pour le tout, le mot *bateaux* exprime une totalité facile à inventorier). Au contraire, la totalité métonymique dans les exemples que nous avons donnés (*fer, airain, porcelaine*), est vague, et impossible à décomposer : il ne peut donc y avoir dans ces exemples d'inclusion de l'objet signifié dans l'objet signifiant.

*
* *

La nature du lien qui unit l'objet signifié et l'objet signifiant n'est pas identique dans la métaphore et dans la métonymie.

On trouve déjà dans la *Grammaire historique* de Nyrop (6) la définition suivante de la métonymie : « passage d'une représentation à une autre dont le contenu est avec la représentation donnée dans un rapport de contiguïté », et un peu plus loin (7), Nyrop dit à propos de la métaphore : « Le nom d'un objet est appliqué à un autre objet grâce à un caractère commun qui les fait rapprocher et comparer... Le point de départ de tout emploi figuré d'un mot est une association de similitude. » Et un auteur moderne écrit (8) :

---

(6) T. IV p. 188.
(7) *Ibidem*, p. 229.
(8) S. Ullmann, *Style in the French novel*, p. 196.

« Metaphor is grounded in some kind of *similarity* or analogy between the two terms, whereas metonymy is based on association by *« contiguity »*. Ajoutons que c'est également la contiguïté qui caractérise les rapports synecdochiques.

Les conséquences de cette remarque sont importantes pour celui qui étudie l'imagination créatrice d'un écrivain : comme le note M. Le Guern (9), « ... le lexème formant métonymie ou synecdoque n'est pas senti, sauf dans de très rares cas particuliers, comme étranger à l'isotopie (10). La métaphore au contraire ... apparaît immédiatement comme étrangère à l'isotopie du texte où elle est insérée... L'incompatibilité sémantique joue le rôle d'un signal qui invite le destinataire à sélectionner parmi les éléments de signification constitutifs du lexème ceux qui ne sont pas incompatibles avec le contexte. » En d'autres termes, au niveau des idées et non plus des mots, « la métonymie (11) exploite des rapports qui existent réellement dans le monde extérieur et dans notre monde de concepts. La métaphore, elle, se fonde sur des relations qui surgissent dans l'intuition même qui lance la métaphore en question. La métaphore fixe des équivalences d'imagination » (12).

On comparera, à titre d'exemples, deux emplois de l'expression *à simple, à double tonsure* chez Rabelais. Dans III/XXXVIII/35, « f[ol] *à*

---

(9) *Sémantique de la métaphore et de la métonymie*, p. 16.
(10) L'isotopie est « l'homogénéité sémantique d'un énoncé ou d'une partie d'énoncé » (*ibidem*, n. 18).
(11) Et, ajouterons-nous, la synecdoque.
(12) A. Henry, *Métaphore et métonymie*, p. 63.

simple tonsure » est une métaphore, puisque la tonsure, notion extérieure au contexte de la folie, est évoquée ici par analogie pour suggérer la médiocrité : de même que la tonsure est le degré le plus bas de la cléricature, de même la folie de Triboullet est qualifiée par là de « médiocre ».

Au contraire dans IV/XXIX/16, Quaresme-prenant est qualifié de « demy géant à... double tonsure », ce qui suggère qu'il est plus clerc que les clercs, la tonsure ayant bien ici son rôle métonymique de signe extérieur du premier degré de l'état de clerc.

C'est dire que les tropes de métonymie et de synecdoque sont, pour un génie visionnaire, des instruments moins riches et moins puissants que la métaphore, parce que ceux-là, « respectueux du cosmos, opèrent des raccourcis entre caractères et rapports objectifs », tandis que celle-ci « se moque de l'expérience en profondeur et établit entre les objets des identités partielles non ratifiées par eux » (13).

Aussi est-il rare que la métonymie joue un rôle important parmi les images les plus frappantes d'un auteur. Certes, la métonymie et la synecdoque peuvent avoir une utilité stylistique, mais elles sont en général moins remarquables, c'est-à-dire à la fois moins faciles et moins intéressantes à remarquer, que les métaphores. Gaston Esnault définit très exactement leur caractère lorsqu'il écrit (14) :

---

(13) Claude-Louis Estève, *Etudes philosophiques sur l'expression littéraire,* Paris, Vrin, 1938, p. 236.
(14) *L'Imagination populaire, métaphores occidentales,* Paris, P.U.F., 1925, p. 30-31.

« La métonymie n'ouvre pas de chemins comme l'intuition métaphorique ; mais, brûlant des étapes de chemins trop connus, elle raccourcit des distances pour faciliter la rapide intuition de choses déjà connues. »

II

MÉTONYMIE ET SYNECDOQUE

Nous avons déjà noté dans le chapitre précédent, en comparant la métaphore, la métonymie
et la synecdoque, les différences qui séparent
ces deux dernières figures. Nous voudrions maintenant préciser les frontières de ces deux tropes,
leurs frontières communes tout d'abord, puis celles
qui les séparent d'autres figures.

Les limites théoriques entre la métonymie et la
synecdoque sont bien tracées. Dans la pratique, les
limites sont beaucoup plus difficiles à préciser, et
certains critiques considèrent « qu'il n'existe pas de
frontière bien précise entre les deux catégories... »
et qu'il n'y a pas « d'argument solide qui empêche
de considérer la métonymie du vêtement pour la
personne comme une synecdoque » (1).

Certes, bien des figures sont assez ambiguës
pour qu'on puisse hésiter à les ranger dans une
catégorie de tropes plutôt que dans une autre ;
cependant la distinction entre *pars pro parte*
et *pars pro toto* doit permettre, comme nous

---

(1) M. Le Guern, *Sémantique de la métaphore et de la
métonymie*, p. 29.

l'avons montré dans le cas d'un nom de matière appliqué à un objet fait dans cette matière (2), de trancher la plupart des incertitudes. Ainsi en est-il du problème posé par l'emploi d'un nom de vêtement pour désigner la personne qui le porte. Zola, lorsqu'il écrit dans *Nana* (3) : « Ces messieurs clignaient les paupières, ahuris par cette dégringolade de *jupes* tourbillonnant au pied de l'étroit escalier », use-t-il d'une métonymie ou d'une synecdoque ? La réponse semble aisée : le vêtement ne fait pas partie de la femme qui le revêt, la femme et son vêtement ne sont pas sur le même plan, puisque l'une est un être, l'autre, un objet matériel ; à l'idée de la jupe s'ajoute celle de la femme qui la porte *(pars pro parte)*. C'est donc une *métonymie*.

Mais quand le même auteur écrit : « Celle-là s'était desséchée dans l'air embrasé des loges, au milieu des *cuisses* et des *gorges* les plus célèbres de Paris » (4), il fait appel à la *synecdoque,* puisque le terme désignant la partie du corps est étendu à l'ensemble des autres parties *(pars pro toto)*.

Il vaudrait mieux éviter de parler de « synecdoque d'abstraction » (Fontanier), pour qualifier l'emploi de l'abstrait pour le concret ; dans l'exemple de Racine cité par Fontanier :

Celui dont la *fureur* poursuivit votre *enfance,*

ni l'un ni l'autre des deux termes n'exprime une

---

(2) Cf. ci-dessus, p. 68-69.
(3) Bibl. de la Pléiade, t. II, p. 1226.
(4) *Ibidem*, p. 1208.

partie des personnes désignées par ceux-ci : on doit parler ici de *métonymie* (5).

Il semble donc possible d'éviter la confusion entre métonymie et synecdoque. Mais si cette confusion est faite, elle est relativement peu importante, puisque sur le plan des rapports entre objet signifié et objet signifiant, métonymie et synecdoque se caractérisent l'une comme l'autre, ainsi que nous l'avons vu dans le chapitre précédent, par une relation de contiguïté.

Où la confusion est grave, c'est lorsqu'on prend pour une métonymie ou une synecdoque une expression qui n'a rien à voir avec ces figures.

Commençons par limiter le domaine synecdochique ; ce trope peut exprimer :

1) a - la partie pour le tout : une voile = un navire.

b - le tout pour la partie (beaucoup plus rare) : on en trouve un très bel exemple dans P./XI/41, où Rabelais parle des doigts du greffier « empenez de jardz », i.e. tenant une plume de jars pour écrire.

2) a - le singulier pour le pluriel : l'homme = les hommes.

b - le pluriel pour le singulier : « il joue les durs » = « il joue au dur ».

Il suffit d'ouvrir un traité de rhétorique pour voir que la liste proposée est plus longue ; on a

_____

(5) Notons que Rabelais commet la même erreur, en considérant comme une « figure synecdochique » le fait de prendre « l'invention pour l'inventeur, comme on prend Ceres pour pain, Bacchus pour vin » (III/LI/33), alors que ce sont évidemment des métonymies.

en effet coutume de considérer comme synecdo-
ques des emplois figurés dont le processus n'a rien
de commun avec ce trope :

> 1)a - *l'espèce pour le genre*
>   b - *le genre pour l'espèce*

Quintilien écrivait déjà de la synecdoque (6) :
« Haec variare sermonem potest, ut ex uno plures
intelligamus, parte, totum, *specie, genus, ... vel
omnia haec contra* » (7). Les siècles ont perpétué
l'erreur de Quintilien ; ainsi A. Darmesteter (8),
reprenant la classification de Dumarsais, range
parmi les cas de synecdoque les emplois figurés
du genre pour l'espèce (un *bâtiment* pour un
navire) ou de l'espèce pour le genre (l'*homme*
pour l'*être humain*). Il est plus étonnant de voir, de
nos jours, la *Rhétorique générale* (9) considérer
encore l'emploi du genre pour désigner l'espèce,
comme une synecdoque. On ne saurait en effet
considérer que l'espèce est au genre ce que la partie
est au tout : « ... l'espèce n'est pas une partie du
genre, mais un objet d'une mesure toute diffé-
rente » (10) : appeler l'homme *un mortel* n'implique
pas que l'homme soit une partie d'un mortel :
c'est la catégorie des hommes en général qui est
englobée dans la catégorie plus vaste des êtres
mortels.

---

(6) *De Inst. Orat.,* VIII, 6, 19.
(7) C'est nous qui soulignons.
(8) *La vie des mots,* p. 45 sq.
(9) P. 102.
(10) H. Konrad, *Etude sur la métaphore,* p. 113.

Il convient donc de distinguer :

a) l'espèce pour le genre : on évitera de parler de synecdoque. On peut employer le terme d'*extension,* mais le plus simple est de rattacher ce type de transfert à la *métaphore* : en effet, les deux termes ne peuvent être rapprochés que par un processus métaphorique qui « met entre parenthèses, pour ainsi dire, les sèmes incompatibles avec le contexte » (11). Aristote considérait déjà à juste titre comme une métaphore le transfert de l'espèce au genre (il est vrai qu'il donnait au mot μεταφορά un sens très général) (12).

b) le genre pour l'espèce : il ne convient pas de parler ici, comme le fait Aristote (13), de métaphore ; le phénomène de *restriction* n'est pas semblable, en effet, à celui de l'extension : aucun lien de similarité ou de contiguïté n'unit l'objet signifié et l'objet signifiant ; ce n'est plus dans l'objet signifiant, mais dans l'objet signifié qu'il faut mettre des sèmes « entre parenthèses ». M. Le Guern, dans son analyse des exemples donnés par Fontanier, parle d' « abstraction » et de « dénomination par caractérisation », et montre que ces emplois ne sont pas à proprement parler des *tropes* (14).

---

(11) M. Le Guern, *op. cit.* p. 31.
(12) *Poétique,* 1457 b : μεταφορὰ δ'ἐστὶν ὀνόματος ἀλλοτρίου ἐπιφορὰ ἢ ἀπὸ τοῦ γένους ἐπὶ τὸ εἶδος ἢ ἀπὸ τοῦ εἴδους ἐπὶ τὸ γένος...
(13) *Ibidem.*
(14) *Sémantique de la métaphore et de la métonymie,* p. 33. On peut donner comme exemple l'emploi obscène que Rabelais fait du verbe *besoigner, passim.*

On peut schématiser ainsi ces deux mouvements opposés :

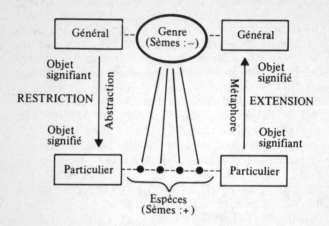

Sèmes : 1) *restriction* : − ——————▶ +
appauvrissement des sèmes de l'objet
signifié = abstraction.

2) *Extension* : + ——————▶ −
appauvrissement des sèmes de l'objet
signifiant = métaphore.

L'emploi de l'espèce pour le genre ou bien du genre pour l'espèce est en fait extrêmement rare, et maints exemples classés sous ces rubriques dans les traités de rhétorique ne sont pas à leur place : de même que M. Le Guern (15) conteste les exem-

_____

(15) *Op. cit.*, p. 32-33.

ples de synecdoque du genre donnés par Fontanier,
on pourrait contester ceux que le rhétoricien
donne de la synecdoque de l'espèce ; ainsi dans les
vers de Saint-Ange :

> Et la mer vit les *pins* avec orgueil flottans
> Insulter la tempête et braver les autans,

pins n'est pas mis par synecdoque d'espèce « pour
tous les arbres qui entrent dans la construction des
vaisseaux » (16), c'est un exemple limpide de
métonymie de la matière pour l'objet fabriqué
dans cette matière.

2) a - le nom commun pour le nom propre
b - le nom propre pour le nom commun

Cette figure, qu'on désigne habituellement sous
le nom d'*antonomase*, est traditionnellement considérée comme une synecdoque (Darmesteter donne
deux exemples : *l'Empereur* pour Napoléon, et,
en sens inverse, un *Tartuffe* pour un hypocrite). La
Rhétorique générale rattache encore l'antonomase
à la synecdoque (17).
En fait, dans le premier cas (nom commun
pour nom propre), la relation qui unit objet signifié et objet signifiant est certes une relation de
contiguïté, mais la qualité choisie pour désigner
la personne n'est pas une partie de celle-ci, et la
figure est alors une *métonymie,* et non une synecdoque. On ne peut parler de synecdoque que dans

---

(16) *Les Figures du discours* p. 93.
(17) P. 103.

le cas des antonomases où une partie du corps sert à le désigner, par exemple dans le nom de *Grand-gousier*, l'organe y désignant la personne tout entière.

Le second cas est tout différent : le lien qui unit les deux termes est un lien de similarité, non de contiguïté ; il s'agit donc d'une *métaphore*.

Résumons cette distinction de façon schématique :

1) Nom commun signifiant   *nom propre signifié*
       l'Empereur   =   Napoléon

PARS PRO PARTE
MÉTONYMIE

ou plus rarement   PARS PRO TOTO
SYNECDOQUE

2) Nom propre signifiant   *nom commun signifié*
       un Tartuffe   =   un hypocrite

TOTUM PRO TOTO
MÉTAPHORE

*
* *

Les exemples de métonymie que nous venons de considérer montrent combien l'écart par rapport au contexte y est réduit. Il s'ensuit que les métonymies sont beaucoup plus difficiles à repérer dans un texte que les métaphores : le lien analogique de la métaphore peut être établi entre des termes dont l'éloignement réciproque, susceptible de varier à l'infini, est souvent très grand, et risque donc de surprendre, en tous cas ne passe pas inaperçu. Au contraire, le rapport de contiguïté qui caractérise la métonymie ne peut être élargi à l'infini, et ne varie que dans des proportions extrêmement réduites.

L'analyse stylistique risque donc d'omettre de nombreuses métonymies, alors qu'elles fournissent de précieuses indications sur le style de l'œuvre considérée et sur la vision des choses que son créateur veut suggérer, puisque ces figures sont comparables à un prisme d'où la réalité sort décomposée et déformée par la volonté de l'écrivain. C'est dans cette mesure qu'on peut parler d'*image* à propos de la métonymie ou de la synecdoque ; mais tandis que l'image métaphorique est en général une représentation imprévue et étrangère au contexte, l'image métonymique n'introduit aucune représentation étrangère à l'isotopie et apparaît seulement, dans la plupart des cas, comme une vision simplifiée de la réalité.

TROISIÈME PARTIE

CONDITIONS D'EXISTENCE DE L'IMAGE LITTÉRAIRE

I

L'ÉCART ENTRE LES DEUX TERMES

Nous avons déjà eu l'occasion de noter que toute comparaison n'est pas une image : une appréciation d'ordre quantitatif (Jacques est grand *comme son frère*) ne peut passer pour une figure. C'est la raison pour laquelle nous avons fait nôtre la distinction proposée par M. Le Guern entre *comparaison* et *similitude* (1). Comme le note cet auteur, « la similitude a ceci de commun avec la métaphore qu'elle fait intervenir une représentation mentale étrangère à l'objet de l'information qui motive l'énoncé, c'est-à-dire une image » (2).

On peut donc poser en principe que l'image sera d'autant plus remarquable que les deux termes seront plus éloignés l'un de l'autre. Aristote conseillait déjà de « tirer les métaphores d'objets appropriés mais qui ne soient pas évidents, de même qu'en philosophie, c'est le propre d'un esprit sagace de discerner un rapport de similitude même entre des choses fort éloignées » : Δεῖ δὲ μεταφέρειν ...ἀπὸ οἰκείων καὶ μὴ φανερῶν, οἷον ἐν φιλοσοφίᾳ τὸ ὅμοιον καὶ ἐν πολὺ διέχουσι θεωρεῖν εὐστοχού (3).

---

(1) Cf. plus haut, p. 26-28.
(2) *Sémantique de la métaphore et de la métonymie*, p. 53.
(3) *Rhétorique*, III, XI, 1412 a.

Mais c'est Pierre Reverdy qui a exprimé le mieux le rôle de l'*écart* métaphorique dans la beauté de l'image : « L'image, écrivait-il, est une création pure de l'esprit... Plus les rapports des deux réalités rapprochées seront lointains et justes, plus l'image sera forte, plus elle aura de puissance émotive et de réalité poétique » (4).

Le mérite de P. Reverdy est d'avoir affirmé la double nécessité d'un écart assez grand, mais aussi d'une analogie profondément juste entre les deux termes. Il serait en effet trop simple de croire qu'il suffit de rapprocher n'importe quels termes très éloignés l'un de l'autre pour créer une image réussie : de même qu'il existe une limite en deçà de laquelle, les termes étant trop rapprochés, l'image n'existe pas, il est aussi une limite au-delà de laquelle l'image n'est plus sensible, faute d'une analogie suffisamment perceptible entre les termes. La valeur de l'image, ainsi que l'écrit P. Caminade (5), « croît jusqu'à un seuil d'intelligibilité, au-delà duquel elle est nulle ». C'est par conséquent l'équilibre entre l'audace et la justesse du rapprochement qui fera la beauté de l'image.

Si les images inintelligibles sont relativement faciles à relever, il est plus délicat de déterminer la limite inférieure au-dessous de laquelle l'image est nulle.

---

(4) *Le Gant de crin*, Paris, Plon, 1926, p. 32, cité par P. Caminade, *Image et métaphore*, p. 10. F. G. Lorca exprime à peu près la même idée : « la métaphore unit deux mondes antagonistes par le saut équestre de l'imagination » (« L'image poétique chez Don Luis de Gongora », in *Oeuvres complètes*, t. VII, Paris, N.R.F., Gallimard, 1960, p. 48).
(5) *Op. cit.* p. 135.

Le cas le plus facile à trancher est, nous semble-t-il, celui des analogies *abstraites* : si nous considérons la phrase suivante des *Essais* de Montaigne (6) : « Comme Plutarque dict que ceux qui par le vice de la mauvaise honte sont mols et faciles à accorder, quoy qu'on leur demande, sont faciles apres à faillir de parole et à se desdire : pareillement, qui entre legerement en querelle est subject d'en sortir aussi legerement », on ne peut assurément parler ici d'image : « une comparaison entre deux phénomènes abstraits, pour juste et pénétrante qu'elle soit, ne constitue point une image, à moins que l'un ou l'autre des termes ne soit concrétisé » (7). Dans un article consacré aux comparaisons dans les *Essais* (8), Y. Delègue a distingué les comparaisons *poétiques,* i. e. « celles dans lesquelles l'écrivain recourt au pouvoir émotionnel et figuré de l'image pour éclaircir une idée exprimée dans un premier terme, qui demeure le terme privilégié » (9), et les comparaisons *de similitude,* dont la phrase citée plus haut est un exemple, et qui tissent « tout un réseau d'analogie sensibles ou intellectuelles, à partir desquelles seront jetées les bases d'un savoir et d'une conduite, sinon vrais, du moins

---

(6) III, 10, éd. P. Villey (P.U.F.) p. 1019. Cf., pour un autre exemple, Rabelais, III/XXXVI/16 : « ... comme celluy qui de près reguarde à ses affaires privez et domesticques..., vous appellez saige mondain..., ainsi fault-il, pour ... estre ... sage et praesage par inspiration divine..., se oublier soymesmes... »
(7) S. Ullmann, in *Langue et Littérature,* Paris, Les Belles Lettres, 1961, p. 45.
(8) In *R.H.L.F.,* 4-1966, p. 596-618.
(9) *Loc. cit.* p. 596.

vraisemblables », et dans lesquelles « les deux
termes qui sont tirés d'un même ordre de réalité,
sont placés dans les plateaux d'une même balance... : c'est dire qu'ils tendent à prendre une
égale valeur.. » (10). Nous retrouvons ici la distinction entre *comparatio* et *similitudo,* ou, si l'on
préfère, entre l'opération logique et la figure de
comparaison (11) : dans la figure de comparaison,
les deux termes n'ont pas la même valeur (il y
a un comparé et un comparant), alors que l'opération logique place les deux termes comparés sur
le même plan. On ne peut donc ni donner à ces
comparaisons le nom de *similitude,* ni les considérer comme des images ; elles sont par conséquent
hors des limites de notre étude.

On peut se demander en second lieu si toute
image doit être forcément étrangère à l'isotopie ;
l'étude de la métonymie nous a permis de répondre par la négative, puisque la métonymie est
souvent une image, moins évidente, moins visible
que la métaphore, mais une image tout de même,
c'est-à-dire un reflet du réel déformé, transformé
par l'imagination créatrice de l'écrivain. Dans le
cas de la similitude – ou de la métaphore –,
l'absence d'écart par rapport à l'isotopie ne risque-
t-elle pas de tuer l'image ? « Si les deux termes,
écrit Stephen Ullmann (12), sont trop proches
l'un de l'autre..., il n'y aura plus d'image. Ainsi,
dans la description somptueuse des nymphéas de

(10) *Ibidem*, p. 601.
(11) Cf. plus haut p. 26 sq.
(12) In *Langue et littérature,* Paris, Les Belles Lettres,
1961, p. 45.

la Vivonne, Proust compare ces fleurs à d'autres fleurs... Ces comparaisons sont justes et utiles en tant qu'elles servent à préciser les différents aspects de l'objet ; mais ce ne sont pas des images au sens propre du terme ».

Peut-être est-il un peu excessif de refuser à ces similitudes le nom d'*images*. Certes, elles diffèrent des figures dont les termes sont fort éloignés l'un de l'autre, mais on peut, à condition de définir clairement leur rôle, les classer parmi les images : si leur valeur « poétique » est réduite, elles n'en ont pas moins un rôle descriptif important, et leur caractère souvent didactique les rapproche des *exemples* (13).

----

(13) Cf. ci-dessus, 1ère partie, ch. VI, p. 57 sq.

II

VIE, ORIGINALITÉ
ET INTENTION ESTHÉTIQUE

Les images ne se distinguent pas seulement les unes des autres par l'importance de l'écart qui sépare leurs termes : il en est de très courantes, il en est aussi de très recherchées. Pour le lexicologue, toute image est digne d'intérêt ; au contraire, le stylisticien qui limite son examen à une œuvre donnée ne peut faire porter son étude sur *toutes* les images, ou tout au moins il ne peut accorder la même importance à chacune d'entre elles. La plupart des études consacrées à une œuvre précise se limitent aux images *littéraires* ; on entend habituellement par là des images vivantes, originales et pourvues d'une intention esthétique. Nous allons examiner successivement ces trois critères, afin de savoir s'il permettent de définir d'une manière satisfaisante les conditions d'existence de l'image littéraire.

1) Faut-il relever les images mortes ?

Une image morte est une expression parvenue à un point de lexicalisation tel qu'elle cesse d'être reconnue et qu'elle est sentie comme un terme propre.

H. Estienne remarquait déjà qu' « entre tant de François, qui usent tous les jours de ces mots, *Niais* (ou *Niez*), *Hagard, Debonnaire, Leurré,* bien peu prennent garde à leur premier usage et s'apperçoivent qu'ils disent des hommes ce qui se dit proprement des oiseaux de proye... » (1). Plus tard, Dumarsais écrit dans son traité *des Tropes* (2) qu' « il n'y a peut-être point de mot qui ne se prenne en quelque sens figuré, c'est-à-dire, éloigné de sa signification propre et primitive ». On a même pu soutenir que « dans l'état actuel des langues européennes, presque tous les mots sont des métaphores » (3) : qui ne connaît l'exemple souvent cité du mot *tête,* où seule une culture philologique permet de distinguer l'image primitive du vase ou du tesson ?

Dans d'autres cas, l'image est encore visible, et la langue populaire abonde en métaphores ou

---

(1) *De la Precellence du langage françois,* éd. Huguet, p. 126.
(2) Ed. Barbou, 1801, p. 42.
(3) R. de Gourmont, *Esthétique de la langue française,* p. 187. Ceci est particulièrement vrai du vocabulaire abstrait, cf. Nyrop, *Grammaire historique de la langue française,* t. IV, p. 234-235 : « A. Darmesteter remarque d'une manière catégorique : « Dans aucune des langues dont nous pouvons étudier l'histoire, il n'y a de mot abstrait qui, si l'on en connaît l'étymologie, ne se résolve en mot concret » *(la Vie des mots).* Il est vrai qu'ordinairement le monde interne de l'esprit est désigné par des symboles empruntés au monde extérieur, que les termes exprimant des phénomènes psychiques sont primitivement tirés du monde corporel. Ce fait a été souvent constaté par les linguistes et les philosophes ; Locke et Leibnitz avaient déjà remarqué que le langage s'est développé sous l'influence de l'attention dirigée sur le monde extérieur. Cette thèse reprise par Max Müller est en général inattaquable. »

en similitudes dont la valeur imagée, à la différence de l'exemple précédent, est claire, mais n'est plus guère perçue dans l'usage courant : si quelqu'un dit qu'il est *à l'affût* d'une bonne affaire, il est probable qu'il n'est guère conscient de parler par image. Quintilien remarquait déjà que la métaphore « nous est si naturelle que les ignorants eux aussi s'en servent fréquemment sans s'en rendre compte » (4).

Cet emploi des métaphores, si éloigné des préoccupations littéraires ou esthétiques, a été considéré par certains comme une preuve d'indigence intellectuelle ; les métaphores seraient nées « de la nécessité, contrainte par le besoin et la pauvreté », mais par la suite, « l'agrément et le plaisir » en auraient « répandu l'usage » (5). L'intention esthétique serait donc tout à fait secondaire : près de deux mille ans après Cicéron, Charles Bally pense encore que « la plupart des images sont des produits de l'erreur ou de la nécessité » (6). Ce n'est pas le lieu d'examiner en détail la valeur de cette théorie, et nous nous permettons

---

(4) [Translatio] « ita est ab ipsa nobis concessa natura, ut indocti quoque ac non sentientes ea frequenter utantur » (*De Inst. Orat.*, VIII, 6, 4).
(5) Cicéron, *De Oratore*, III, 155 : [ille modus transferendi] « quem necessitas genuit inopia coacta et angustiis, post autem delectatio iucunditasque celebravit ». Cf. ce que dit Voltaire de la *catachrèse*, in *Dictionnaire philosophique*, s.v. *langue*, cité par Nyrop, *Grammaire*, t. IV, p. 242 : « Ce n'est que faute d'imagination qu'un peuple adapta la même expression à cent idées différentes. C'est une stérilité ridicule de n'avoir pas su exprimer autrement un bras de mer, un bras de balance, un bras de fauteuil... »
(6) *Traité de stylistique française*, t. I, p. 189.

de renvoyer sur ce point à la *Sémantique de la métaphore et de la métonymie* de M. Le Guern (7) qui montre, à la suite de Dumarsais, que cet usage de la métaphore ne concerne en fait qu'un nombre très restreint de mots.

Il n'en reste pas moins vrai que si les catachrèses sont assez peu fréquentes, le nombre des images mortes ou tout au moins usées est assez grand, et on peut se demander ce que doit faire le stylisticien lorsqu'il rencontre l'un de ces clichés qui, comme « une monnaie jetée dans la circulation », a été « tiré à des millions » et est devenu « si vulgaire que nul ne [songe] jamais à considérer sa face » (8).

La méthode tracée par les critiques est en apparence nette et facile à appliquer : une image morte n'est plus perçue comme une image, elle n'intéresse donc pas le stylisticien (9). Dans la pratique, les choses sont plus complexes et plus délicates :

a) il y a tout d'abord un problème de *date* ; si l'on peut étudier le degré de vie d'une image dans le français moderne, il est beaucoup plus délicat de déterminer avec exactitude comment telle image était sentie par un homme du XVIe siècle : était-ce déjà un cliché, ou bien l'image

---

(7) Ch. VII, p. 66 sq.
(8) R. de Gourmont, *Le Problème du style,* p. 93, cité par J. Taillardat, *Les Images d'Aristophane,* p. 19.
(9) Cf. Charles Bruneau, in *Histoire de la langue française* de F. Brunot, t. XIII, p. 307 : « les images usées ne sont plus senties comme telles ni par l'écrivain ni par le public ; elles doivent être négligées dans l'étude du style », et J. Taillardat, *Les Images d'Aristophane,* p. 20 : « Ces images mortes d'usure, on les a naturellement éliminées en grand nombre... »

avait-elle gardé à cette époque une certaine fraîcheur ? On ne peut jamais être tout à fait sûr de lire une œuvre avec les yeux d'un contemporain de celle-ci et, dans l'analyse des images, il y a un risque d'erreur tout particulier. Comme le remarque A. Dauzat (10), certaines images peuvent être datées, soit que le comparant apporte une précision chronologique (« solide (ou se porter) comme le Pont-Neuf » est postérieur (sans doute de peu) à Henri IV ... »), soit que la forme syntaxique de l'expression prouve son ancienneté (absence d'article : « amer comme chicotin ») ; dans ce dernier cas, il faut reconnaître que la précision chronologique est bien vague ... Et combien d'expressions ont traversé les siècles sans qu'on puisse connaître à partir de quelle époque elles ont perdu leur valeur d'image !

b) il est ensuite très difficile d'échapper aux risques des appréciations *subjectives* : dans les manuels, c'est-à-dire en théorie, les classifications paraissent nettes et faciles à appliquer (11) ; en réalité on se trouve souvent bien embarrassé pour faire entrer les mille nuances d'une langue riche et souple dans des catégories trop rigides et trop simples.

---

(10) « L'Expression de l'intensité par la comparaison », in *Français moderne,* Juillet-Octobre 1945, p. 174.
(11) Cf. la classification de Bally, *Traité de stylistique française,* t. I, p. 193 sq. (images *concrètes,* images *affectives,* images *mortes*) ou celle d'A. Dauzat, « l'Expression de l'intensité par la comparaison », in *Français moderne,* Juillet-Octobre 1945, p. 173-174 (comparaisons *vivantes,* comparaisons *clichées mais comprises encore,* comparaisons *clichées peu ou point comprises*).

La prudence s'impose donc ; l'analyse la plus consciencieuse ne pouvant se départir complètement des réactions personnelles de son auteur devant le texte étudié, une certaine marge d'erreur, d'autant plus grande que l'œuvre est plus ancienne (et il faut reconnaître que le XVIe s. est, du point de vue linguistique, assez loin de nous), doit être tolérée.

2) Faut-il ne relever que les images originales ?

Nous venons de montrer qu'une image morte ne doit pas être prise en considération dans une analyse stylistique. Mais de même qu'il serait maladroit d'encombrer un recensement d'images avec des clichés ou des métaphores usées et lexicalisées, il serait tout aussi maladroit de pécher par excès de sévérité et de n'admettre comme images que les figures absolument originales.

Même les grands créateurs d'images n'inventent pas toutes les figures qu'ils emploient (12) ; Rabelais, dont les images sont souvent très personnelles et très originales, puise aussi un grand nombre de ses métaphores dans la langue populaire. Il n'est pas nécessaire qu'une image soit totalement neuve ; il faut et il suffit, comme le dit Stephen Ullmann (13), « que l'image possède une certaine fraîcheur ».

---

(12) « Les images de la littérature et de l'éloquence... ne sont presque jamais créées de toutes pièces ; elles sont, le plus souvent, des remaniements et des rajeunissements des images du langage spontané... » (Ch. Bally, *Traité de stylistique française*, t. I, p. 185-186).
(13) In *Langue et littérature*, Paris, Belles Lettres, 1961, p. 45.

Il convient de signaler ici l'importance du *contexte,* qui, parfois, note le même auteur (14), « suffira à lui seul pour insuffler une nouvelle vigueur dans une image étiolée ». Si l'on trouve dans un texte des expressions comme : « j'ai saisi cette idée au vol », ou « cette parole n'est pas tombée dans l'oreille d'un sourd », on ne peut dire que ces images soient bien vivantes, ni bien originales. Au contraire, dans *la Leçon* (15), Eugène Ionesco revivifie ces clichés à l'aide d'une simple expression : « Les sons, Mademoiselle, doivent être saisis au vol *par les ailes* pour qu'ils ne tombent pas dans les oreilles des sourds », de sorte que, par l'image, il matérialise les sons d'une façon absurde et comique.

En définissant, au début de sa thèse (16), les conditions d'existence de l'image originale, J. Taillardat met au nombre de ces conditions le renouvellement d'une image usée, « car si la banalité d'une image est un fait de langue, son rajeunissement est un fait de style propre à l'auteur ; c'est dans le renouvellement d'une image effacée qu'on perçoit l'effort personnel de création et le génie inventif d'un écrivain. Ainsi, plus le renouvellement d'une image est développé, plus elle est prolongée dans tous ses détails, qui forment alors un ingénieux réseau, plus s'impose la certitude qu'il y a une véritable recréation de l'image ».

Cette reviviscence de l'image, grâce au contexte, est fréquente chez les grands écrivains. Une accumulation d'images entièrement inédites serait

(14) *Loc. cit.*
(15) N.R.F., Gallimard, p. 77.
(16) *Les Images d'Aristophane,* p. 23-24.

vite lassante. Une image tout à fait originale
tranche mieux sur un contexte plus banal que sur
d'autres images aussi recherchées. Et le comble
de l'art n'est-il pas de donner un pouvoir incan-
tatoire aux mots de tous les jours ?

Ne cherchons donc pas à limiter notre étude
aux images totalement originales ; il suffit qu'elles
aient, comme le dit G. Bachelard (17), « un mérite
d'originalité. Une image littéraire, c'est un sens à
l'état naissant ; le mot – le vieux mot – vient y
recevoir une signification nouvelle. Mais cela ne
suffit pas encore : l'image littéraire doit s'enrichir
d'un onirisme nouveau. Signifier autre chose et
faire rêver autrement, telle est la double fonction
de l'image littéraire. »

3) Importance et limites du critère esthétique.

Une image digne de ce nom n'est pas forcément
originale ; doit-elle obéir à une intention esthétique ? Dès l'Antiquité, l'importance de ce dernier
critère est mise en évidence : « un trope, dit Quintilien, consiste à faire passer *avec bonheur* un mot
ou une locution du sens propre à un autre sens » (18).
Il conviendrait ici de distinguer le caractère et
l'intention esthétiques. Qu'une image littéraire
ait une certaine *valeur* esthétique – ce qui est
très fréquent – n'implique pas que sa *fonction*
soit esthétique, comme semble le penser Charles

---

(17) « L'Image littéraire », in *Messages,* 1-1943, p. 248.
(18) *De Inst. Orat.,* VIII, 6, 1 : « tropus est verbi vel sermo-
nis a propria significatione in aliam *cum virtute* mutatio »
(c'est nous qui soulignons).

Bally (19) ; or la valeur esthétique des images est
à la fois trop courante et trop subjective pour être
considérée comme un critère valable. Quant à la
fonction de celles-ci nous montrerons, dans notre
étude sur Rabelais (20), qu'elle dépasse largement
le niveau esthétique : ce critère n'est donc pas
utilisable.

*
* *

Nous avons noté la fragilité des critères qui
servent généralement à définir l'image littéraire.
N'existe-t-il pas d'argument plus solide et plus
commode ?
On peut utiliser comme point de départ l'oppo-
sition bien connue entre langue et parole (21), ou
la définition tout aussi célèbre du style comme
« un écart par rapport à une norme » (Paul Valéry),
définition « reprise par Bruneau, qu'on retrouve

---

(19) *Traité de stylistique française,* t. I, p. 185 : « les images
de la littérature et de l'éloquence ... sont toujours les produits d'une inspiration ou d'une réflexion individuelles, *en
vue de créer une impression esthétique* ... » (c'est nous qui
soulignons).
(20) Troisième section.
(21) Cf. Charles Bally, *Linguistique générale et linguistique
française,* p. 137-138, § 211 : « ... une figure n'appartient
jamais entièrement à la langue et relève toujours, au moins
partiellement, de la parole ; elle lui appartient même complètement lorsque l'image est totalement inédite, pure
création individuelle ; mais même devenue usuelle (pourvu
qu'elle reste vivante), elle ne peut se passer de la parole ».

aussi bien chez Bally ... que chez Spitzer ... » (22) :
ce qui caractérise un fait de style, c'est la présence
d'une *intention*. Celle-ci n'est pas nécessairement
esthétique ; une image, nous l'avons dit, peut être
belle sans que la beauté soit le but recherché par
son créateur (elle peut avoir une fonction satirique,
comique, voire didactique, etc.). Mais elle est
littéraire parce qu'elle est pourvue d'une intention,
quelle qu'elle soit (et dans ce cas, même un cliché
pourra devenir littéraire, pourvu que l'écrivain
en fasse un usage volontaire, en vue de produire
un effet précis).

C'est pourquoi nous souscrivons à la définition
de J. Marouzeau (23) : « la métaphore est la substitution *consciente* (24), dans certains cas spéciaux,
de l'expression concrète à l'expression abstraite,
ou à une expression concrète d'un autre ordre ».

L'intention consciente est, nous semble-t-il,
le critère le moins discutable dont le stylisticien
dispose pour distinguer et isoler les images littéraires. Mais ce critère, même s'il est plus sûr — ou
plutôt moins hasardeux — que les autres, doit être
utilisé avec précaution ; l'appréciation des images
reste toujours entachée d'une certaine subjectivité,
et nous faisons nôtre cette remarque à la fois
modeste et prudente de Stephen Ullmann : « In
practice, one can usually recognize an image by

---

(22) P. Guiraud, *La Stylistique*, Paris, P.U.F., 1963, coll.
« Que sais-je ? », p. 106-107.
(23) *Traité de stylistique latine*, 4e édition, Paris, Belles
Lettres, 1962, p. 147.
(24) C'est nous qui soulignons.

the presence of distinctive traits : novelty, expressive force, a certain sensuous and graphic quality ; but there is no sharp demarcation-line between images and other figures, and we must allow for a margin of subjective reactions and for the existence of borderline cases » (25).

---

(25) *Style in the French novel,* p. 213.

CONCLUSION

La stylistique est une science jeune. Elle « en est au point, disait Charles Bruneau (1), où se trouvait la chimie à la fin du XVIIIe siècle, avec son vitriol blanc, son vitriol vert, son vitriol bleu, son vitriol noir, et ses quinze esprits ». Nous avons montré dans cette étude combien la terminologie est flottante, et diffère d'un auteur à l'autre : deux critiques, dans un même texte, ne recensent pas le même nombre d'images ! Floyd Gray, qui les étudie dans les *Essais* de Montaigne (2), remarque que « Thibaudet en trouve près de cinq cents, tandis que Schnabel en compte 1263, mais il y en a encore qui ne sont ni dans la liste de Thibaudet, ni dans celle de Schnabel. La question de ce qui constitue une image se pose ».

Cette imprécision décevante a suscité des réactions : on a estimé qu'il fallait donner aux études stylistiques des bases solides et remplacer des habitudes de recherche trop subjectives et trop intuitives par des méthodes véritablement scientifiques (3).

---

(1) In *Cultura Neolatina*, XVI-1956, p. 67.
(2) *Le Style de Montaigne*, p. 153, n. 7.
(3) Cf. M. Riffaterre, « Criteria for Style Analysis », in *Word*, XV-1959, p. 174 : « To make stylistics a science, or to delimit that area of linguistics which will treat the literary use of language, it is not sufficient to begin from a subjective apprehension of the elements of style. It therefore seemed obvious that a heuristic stage should precede any attempt at description. »

Il est vrai, par exemple, que toute analyse stylistique — mais plus particulièrement une étude des images — doit se fonder sur une connaissance détaillée de l'histoire de la langue : comme nous l'avons dit plus haut, le français du XVIe siècle n'est plus, tant s'en faut, le nôtre.

Mais ce serait une grosse erreur de croire que ces préoccupations scientifiques puissent remplacer l'intuition et le sens littéraire ; car si l'analyse stylistique court des risques en s'abandonnant aux impressions subjectives, elle en court tout autant en abusant des catégories préconçues et des chiffres. Aussi les statistiques, en dépit des renseignements utiles qu'elles peuvent fournir, ne doivent-elles être maniées qu'avec précaution, car elles rassemblent pêle-mêle des faits stylistiques souvent différents, qu'on ne peut mettre sur le même plan (4) ; ce danger de systématisation apparaît dans certains classements d'images, qui, s'ils ne sont pas inutiles, n'apportent que peu de renseignements sur l'œuvre étudiée, et passent à côté de l'essentiel : l'étude des images doit en effet avoir pour ambition de décrire *l'imagination créatrice* de l'écrivain considéré, cette imagination qui, selon Baudelaire, « a créé, au commencement du monde, l'analogie et la métaphore », qui « décompose toute la création, et, avec les matériaux amassés et disposés suivant des règles dont on ne peut trouver l'origine que dans le plus profond de l'âme, (...) crée un monde nouveau, (...) produit la sensation du neuf » (5).

---

(4) Cf. S. Ullmann, in *Langue et littérature*, Paris, Les Belles Lettres, 1961, p. 49-50.
(5) *Salon de 1859*, Bibl. de la Pléiade, p. 1037-1038.

BIBLIOGRAPHIE

Bibliographie stylistique

— Hatzfeld H., *A critical Bibliography of the New Stylistics applied to the Romance Literatures, 1900-1952,* Chapel Hill, 1953, in-8°, XXII-302 p. (cf. surtout p. 146-154, 176-179, 253).
— Hatzfeld H. & Le Hir Y., *Essai de Bibliographie critique de stylistique française et romane (1955-1960),* Paris, P.U.F., 1961, in-8°, 313 p. (Université de Grenoble, Publications de la Faculté des Lettres et Sciences Humaines, n° 26).

*

Stylistique générale

— Antoine G., « La stylistique française, sa définition, ses buts, ses méthodes », in *Revue de l'Enseignement supérieur,* I-1959, p. 42-60 (« Excellente mise au point avec des vues judicieuses », Hatzfeld-Le Hir, *Essai de Bibliographie...* — Article reproduit en partie dans P. Guiraud et P. Kuentz, *La Stylistique,* p. 29-37).
— Bally Ch., *Linguistique générale et linguistique française,* 2e éd., Berne, A. Francke, et Paris, P.U.F., 1944, in-8°, 440 p.

— Bally Ch., *Traité de stylistique française,* 3e éd., Paris, Klincksieck, 1951, in-16°, t. I, XX-331 p. (cf. surtout p. 184-202. — Le t. II est consacré à des exercices).

— Black M., *Models and metaphors, Studies in Language and Philosophy,* New York, Cornell University Press, 1962, in-8°, XI-267 p. (cf. ch. III p. 25 sq. : *Metaphor.* — Ouvrage plus philosophique que stylistique).

— Bruneau Ch., « La Science et la stylistique : problèmes de vocabulaire », in *Cultura Neolatina,* XVI-1956, p. 65-71 (« Nécessité de réviser la nomenclature. Reprendre « le problème des *figures de pensée, de mots et de construction...,* débarrasser notre vocabulaire d'un certain nombre de mots inutiles (métalepses, etc.), ... préciser le sens des mots utiles, et, à l'occasion, créer les termes nouveaux qui paraîtraient indispensables », Hatzfeld-Le Hir, *Essai de Bibliographie...).*

— Cicéron, *L'Orateur,* texte établi et traduit par H. Bornecque, Paris, Les Belles Lettres, 1921, in-16°, XI-132 p.

— Cicéron, *De l'Orateur,* texte établi par H. Bornecque et traduit par E. Courbaud et H. Bornecque, livre III, Paris, Les Belles Lettres, 1930, in-16°, 117 p.

— Cressot M., *Le Style et ses techniques,* Paris, P.U.F., 1947 (nombreuses rééd.), in-16°, VIII-253 p.

— Darmesteter A., *La Vie des mots étudiée dans leurs significations,* Paris, Delagrave, 1887, in-16°, XII-212 p.

– Deloffre F., *Stylistique et poétique françaises,* Paris, S.E.D.E.S., 1970, in-16°, 214 p. (exemples d'analyses stylistiques).
– Dumarsais, *Des Tropes,* Paris, Brocas, 1730, in-8° (nos citations dans le livre I sont faites d'après l'éd. Barbou de 1801).
– Empson W., *The Structure of complex words,* London, Chatto & Windus, 1951, in-8°, 450 p. (cf. Ch. XVIII-XIX).
– Estève Cl.-L., *Etudes philosophiques sur l'expression littéraire,* Paris, Vrin, 1938, in-12°, 275 p. (cf. *Aperçus sémantiques,* p. 185-275).
– Estienne H., *Project du livre intitulé : De la Precellence du langage françois,* éd. par E. Huguet, Paris, A. Colin, 1896, in-8°, XXXIII-435 p. (sources des métaphores).
– Fontanier P., *Les Figures du discours,* Introd. par G. Genette, Paris, Flammarion, 1968, in-16°, 503 p., coll. « Science de l'homme ».
– Genette G., *Figure III,* Paris, Seuil, 1972, in-16°, 286 p., coll. « Poétique » (cf. plus particulièrement « La rhétorique restreinte », p. 21-40).
– Gourmont R. de, *Esthétique de la langue française,* 9e éd., Paris, Mercure de France, s.d., in-16°, 343 p.
– Gourmont R. de, *Le Problème du style,* 12e éd., Paris, Mercure de France, 1924, in-12°, 328 p. (cf. ch. VII, La Comparaison et la métaphore, p. 83 sq).
– Guiraud P., *La Stylistique,* Paris, P.U.F., 1963, in-16°, 120 p., « Que sais-je ? » n° 646.
– Guiraud P., *Les Locutions françaises,* Paris, P.U.F., 1967, in-16°, 125 p., « Que sais-je ? » n° 903.
– Guiraud P. & Kuentz P., *La Stylistique, Lectures,* Paris, Klincksieck, 1970, in-8°, 327 p.

— Hatzfeld H., « Peut-on systématiser l'analyse stylistique ? », in *Rivista di Letterature Moderne
  e Comparate,* XIII-3-1960, p. 149-157 (« Pano-
  rama des tendances diverses des théoriciens en
  matière de stylistique », Hatzfeld-Le Hir, *Essai
  de Bibliographie...*).

— Imbs P., « Analyse linguistique, analyse philologique, analyse stylistique », in *Programme du
  Centre de Philologie Romane de Strasbourg,*
  1957, p. 61-79.

— Jakobson R., *Essais de linguistique générale,*
  Paris, Ed. de Minuit, 1963, in-16°, 258 p., coll.
  « Points » (cf. ch. 2, « Deux aspects du langage
  et deux types d'aphasie », et en particulier : V.
  Les pôles métaphorique et métonymique,
  p. 61 sq.).

— Larthomas P., « La notion de genre littéraire en
  stylistique », in *Le Français moderne,* n° 3-juil-
  let 1964, p. 185-193.

— Le Hir Y., *Rhétorique et stylistique, de la Pléiade
  au Parnasse,* Paris, P.U.F., 1960, in-8°, 209 p.
  (Université de Grenoble, Publications de la
  Faculté des Lettres et Sciences Humaines, n° 22).

— Le Hir Y., *Analyses stylistiques,* Paris, A. Colin,
  1965, in-16°, 302 p., coll. « U ».

— Marouzeau J., *Traité de stylistique latine,* 4e éd.,
  Paris, Les Belles Lettres, 1962, in-8°, XXI-363 p.
  (cf. p. 147 sq. sur la *métaphore*).

— Marouzeau J., *Précis de stylistique française,*
  Paris, Masson, 1969, in-8°, 191 p.

— Morier H., *Dictionnaire de poétique et de rhétorique,* Paris, P.U.F., 1961, in-8°, VII-491 p.,
  2e éd., 1975, 1210 p., s.v. *comparaison, image
  abstraite, image impressive, image incohérente,
  métaphore, métonymie, symbole, synecdoque.*

— Nyrop Kr., *Grammaire historique de la langue
française,* Copenhague, Gyldendalske Boghandel
Nordisk Forlag, t. IV, 1913, in-8°, 496 p.,
Livre VI, p. 229 sq. : *Métaphores.*
— *Rhétorique générale,* par lè groupe μ (J. Dubois,
F. Edeline, J.M. Klinkenberg, P. Minguet, F.
Pire, H. Trinon), Paris, Larousse, 1970, in-8°
206 p., coll. « Langue et langage ».
— Richards I.A., *The Philosophy of Rhetoric,* New
York, Oxfora University Press, 1950, in-8°,
IX-138 p. (cf. ch. V : *Metaphor,* ch. VI : *The
Command of Metaphor*).
— Riffaterre M., « Criteria for Style Analysis », in
Word, XV-1959, p. 154-174 (« article capital,
d'une documentation parfaite. Malgré tout, on
peut juger trop absolu le point de vue linguisti-
que », Hatzfeld-Le Hir, *Essai de Bibliographie...*).
— Sayce R., *Style in French Prose. A method of
analysis,* Oxford, Clarendon Press, 1953, in-8°,
167 p., cf. Ch. X : *Imagery, metaphor, metonymy and simile,* p. 57-68 (Compte-rendu par
L. Spitzer in *Critique,* Juillet 1955, p. 595-689).
— « La Stylistique », *Langue française,* III- Sept.
1969.
— Ullmann S., « Un problème de reconstruction
stylistique », in *Atti dell'ottavo Congresso internazionale di studi romanzi* (Florence, 3-8
avril 1956), Florence, Sansoni, 1959, 2 vol. in-
8°, II, p. 465-469 (« Sur la tentation « d'attri-
buer aux éléments linguistiques des valeurs
qu'ils ne possédaient pas encore à l'époque en
question », et sur le danger « de ne pas reconnaître des valeurs qu'ils possédaient, mais qui
se sont effacées par la suite », Hatzfeld-Le Hir,
Essai de Bibliographie...).

*

Etudes générales sur les images

— Abbou A., « Problèmes et méthodes d'une stylistique des images », in *Le Français moderne,* Juillet 1969, p. 212-223.
— Adank H., *Essai sur les fondements psychologiques et linguistiques de la métaphore affective,* Genève, Ed. Union, 1939, in-8°, 191 p.
— Alain, *Préliminaires à l'esthétique,* Paris, Gallimard, 1940, in-16°, cf. LII, *la métaphore,* p. 144-146, et LXX, *la comparaison soutien des pensées,* p. 197-199.
— Antoine G., « Pour une méthode d'analyse stylistique des images », in *Langue et littérature. Actes du 8e Congrès de la Fédération internationale des langues et littératures modernes* (1960), Paris, Les Belles Lettres, 1961, in-8°, p. 151-164 (Bibliothèque de la Faculté de Philosophie et Lettres de l'Université de Liège, fasc. 161).
— Bachelard G., « L'Image littéraire », in *Messages,* 1943, p. 245-253.
— Bouverot D., « Comparaison et 1. staphore », in *Le Français moderne,* Avril 1969, p. 132-147, — Juillet 1969, p. 223-238, — Octobre 1969, p. 301-316.
— Bréhier E., *Etudes de philosophie moderne,* Paris, P.U.F., 1965, in-4°, ch. XIX : *De l'image à l'idée. Essai sur le mécanisme psychologique de la méthode allégorique,* p. 161-169 (Publications de la Faculté des Lettres et Sciences Humaines de Paris).

– Brooke-Rose Chr., *A Grammar of Metaphor*, Londres, Secker and Warburg, 1958, in-8°, XI-343 p.

– Bruneau Ch., « L'Image dans notre langue littéraire », in *Mélanges Dauzat*, Paris, d'Arthrey, 1951, in-8°, p. 55-67.

– Caminade P., *Image et métaphore*, Paris, Bordas, 1970, in-8°, 160 p., coll. « Etudes supérieures » (le sous-titre, *Un Problème de poétique contemporaine*, situe le livre : les théories antérieures et extérieures au surréalisme ne sont pas étudiées).

– A. Dauzat, « L'Expression de l'intensité par la comparaison », in *Le Français moderne*, Juillet-Octobre 1945, p. 169-186 (liste de comparaisons courantes dans le langage populaire).

– *Dictionnaire de Spiritualité*, Paris, Beauchesne, 1958, in-4°, t. IV, s.v. *Exemplum* (R. Cantel & R. Ricard).

– Esnault G., *L'Imagination populaire, métaphores occidentales*, Paris, P.U.F., 1925, in-8°, 348 p., cf. *Définitions de sémantique*, p. 29 sq.

– Henry A., *Métonymie et métaphore*, Paris, Klincksieck, 1971, in-8°, 160 p.

– Hornstein L. H., « Analysis of Imagery : A Critique of Literary Method », in *Publications of the Modern Language Association of America*, LVII-1942, p. 638-653 (article destiné à montrer les dangers d'une méthode « which not only psychoanalyzes the creator but reconstructs his physical environment on the basis of the frequency of metaphors » (p. 638) et qui vise particulièrement le livre de C. Spurgeon, *Shakespeare's Imagery*).

– Konrad H., *Etude sur la métaphore,* Paris, Vrin,
   1939, in-8°, V-167 p., 2e éd. 1958, 173 p.
   (ouvrage à caractère philosophique, mais d'une
   grande utilité pour le stylisticien).
– Le Guern M., *Sémantique de la métaphore et de la
   métonymie,* Paris, Larousse, 1973, in-8°, 126 p.,
   coll. « Langue et langage » (ouvrage fondamental,
   qui fait la synthèse des traditions de la rhétorique et des apports de la linguistique moderne).
– Meschonnic H., *Pour la Poétique,* Paris, Gallimard, 1970, in-16°, 184 p., coll. « Le Chemin »,
   cf. p. 99-138, *L'Organisation métaphorique.*
– Pépin J., *Mythe et allégorie,* Paris, Aubier, 1958,
   in-8°, 523 p.
– Ricoeur P., *La Métaphore vive,* Paris, Seuil,1975,
   in-8°, 414 p., coll. « L'Ordre philosophique ».
– Schuwer P., « De l'Image poétique », in *Cahiers
   du Sud,* IV-Avril 1955, p. 449-457.
– Shibles W., *Analysis of metaphor in the light of
   W. M. Urban's theories,* La Haye – Paris, Mou-
   ton, 1971, in-8°, 171 p.
– Spoerri Th., « La Puissance métaphorique », in
   *Paul Valéry, essais et témoignages inédits re-
   cueillis par Marc Eigeldinger,* Paris, O. Zeluck,
   1945, in-12°, p. 177-198, cf. aussi *Revue de
   Suisse,* II-1952, p. 20-35.
– Stanford W. B., *Greek Metaphor. Studies in
   theory and practice,* Oxford, Basil Blackwell,
   1936, in-8°, X-156 p.
– Stutterheim C.F.P., *Het Begrif Metaphoor,*
   Amsterdam, H. J. Paris, 1941, in-8°, 708-III p.
   (en hollandais ; résumé en français p. 668-677).
– Ullmann S., « L'Image littéraire, quelques questions de méthode », in *Langue et littérature.
   Actes du 8e Congrès de la Fédération interna-*

tionale des langues et littératures modernes
(1960), Paris, Les Belles Lettres, 1961, in-8°,
p. 41-60 (Bibliothèque de la Faculté de Philosophie et Lettres de l'Université de Liège, fasc.
161). Article fondamental.

— Väänänen V., « Métaphores rajeunies et méta—
phores ressuscitées », in *Atti dell' ottavo Congresso internazionale di studi romanzi* (Florence,
3-8 Avril 1956), Florence, Sansoni, 1959, 2
vol., in-8°, II, p. 471-476.

— Wald H., « Métaphore et concept », in *Revue de
Métaphysique et de morale,* 2-Avril-Juin 1966,
p. 199-208.

*

*Etudes sur les images chez d'autres auteurs que
Rabelais*

— Aish D., *La Métaphore chez Mallarmé,* Paris,
Droz, 1938, in-8°, 211 p.

— Baraz M., « Les Images dans les *Essais* de Montaigne », in *Bibliothèque d'Humanisme et Renaissance,* XXVII-1965, p. 361-394, repris dans
L'Etre et la connaissance selon Montaigne,
Paris, José Corti, 1968, in-8°, p. 47 sq. : *Images
et vision de l'être.*

— Batard Y., *Dante, Minerve et Apollon. Les Images de la* Divine Comédie, Paris, Les Belles
Lettres, 1952, in-8°, 521 p., coll. « Les Classi-
ques de l'Humanisme ».

— Brunot F., *Histoire de la langue française des
origines à nos jours,* Paris, A. Colin, 1966 (nouvelle éd.), in-8°, cf. t. III-IV pour les images
chez les auteurs du XVIIe s. (t. III p. 251-261,

t. IV p. 550-566, et compléments bibliographiques par R. Lathuillère, à la fin de la première partie du t. III, p. 428, ouvrages consacrés à l'image), cf. aussi t. XIII-1 par Ch. Bruneau (L'Epoque réaliste, 1852-1886), p. 35-41, l'image visionnaire chez Hugo, – p. 222-231, l'image chez Théophile Gautier, – p. 307-326, l'image chez les Parnassiens, comparaisons et métaphores.

– Burton J.M., *Honoré de Balzac and his figures of speech,* Princeton, New Jersey, Princeton University Press, Paris, Champion, 1921, in-8°, 98 p. (Elliott monographs in the Romance languages and literatures edited by Ed. C. Armstrong, n° 8).

– Crétin R., *Les Images dans l'œuvre de Corneille,* Caen, A. Olivier, 1927, in-8°, 398 p.

– Crétin R., *Lexique comparé des métaphores dans le théâtre de Corneille,* Caen, A. Olivier, 1927, in-8°, 128 p.

– Delègue Y., « Les Comparaisons dans les *Essais* », in *Revue d'Histoire littéraire de la France,* 4 - 1966, in-8°, p. 593-618.

– Demorest D. L., *L'Expression figurée et symbolique dans Flaubert,* Paris, Conard, 1931, in-8°, 692 p., réimpr. Genève, Slatkine Reprints, 1967 (étudie successivement les images dans chaque œuvre de Flaubert. Nombreuses tables de fréquence et de répartition des figures).

– Duchet M. & Launay M., *Entretiens sur le* Neveu de Rameau, Paris, Nizet, 1967, in-8°, X-412 p., cf. deuxième entretien, *Les images chez Diderot et dans le* Neveu de Rameau, p. 38-59.

– Dumortier J., *Les Images dans la poésie d'Eschyle*,
   Paris, Les Belles Lettres, 1935, in-8°, IV-283 p.
   (étudie d'abord les métaphores principales dans
   chaque pièce, par exemple le joug dans les
   Perses, puis les métaphores secondaires).
– Eigeldinger M., *L'Evolution dynamique de
   l'image dans la poésie française du Romantisme
   à nos jours*, Neuchâtel, A. Seiler & fils, 1943,
   in-8°, 315 p.
– Frappier-Mazur L., *L'Expression métaphorique
   dans la* Comédie Humaine. *Domaine social et
   physiologique*, Paris, Klincksieck, 1976, in-8°,
   378 p. (Bibliothèque française et romane,
   vol. 58).
– Gillot H., « Les Images dans les *Satires* de M.
   Régnier », in *Annales publiées par la Faculté
   des Lettres de Toulouse, Littératures*, II-Nov.
   1953, p. 239-266, III-Janv. 1955, p. 19-36.
– Gray Fl., *Le Style de Montaigne*, Paris, Nizet,
   1958, in-16°, 262 p., cf. p. 137-181.
– Hamel M., « Les Images dans l'essai « De mes-
   nager sa volonté » (III, 10). Quelques emprunts
   de Montaigne », in G. Palassie, *Mémorial du 1er
   Congrés international des études montaignistes*,
   Bordeaux, 1964, *Bulletin spécial de la Société
   des Amis de Montaigne*, p. 101-107.
– Huguet E., *Les Métaphores et les comparaisons
   dans l'œuvre de Victor Hugo*. t. I, *Le sens de la
   forme dans les métaphores de Victor Hugo*,
   t. II, *La Couleur, la lumière et l'ombre dans les
   métaphores de Victor Hugo*, Paris, Hachette,
   1904-1905, in-8° 390 & 379 p.
– Lapp J. C., « Mythological Imagery in P. de
   Tyard », in *Studies in Philology*, LIV-1957,
   p. 101-111.

- Lapp J.C., « Mythological Imagery in Du Bellay », in *Studies in Philology*, LXI-1964, p. 109-127.
- Le Guern M., *L'Image dans l'œuvre de Pascal*, Paris, A. Colin, 1969, in-8°, 284 p.
- Le Hir Y., *Lamennais écrivain*, Paris, A. Colin, 1948, in-8°, VIII-475 p., cf. IVe partie, ch. VIII, p. 277-312 : *L'Expression figurée*, Ve partie, ch. VII, p. 369-423 : *L'Image*.
- Lehtonen M., *L'Expression imagée dans l'œuvre de Chateaubriand*, Helsinki, Société néophilologique, 1964, in-8°, 566 p. (Mémoires de la Société néophilologique de Helsinki, XXVI).
- Lemaire H., *Les Images chez Saint-François de Sales*, Paris, Nizet, 1962, in-8°, 492 p. (l'essentiel du livre est constitué par un répertoire alphabétique des images. Bibliographie extrêmement complète).
- Lorca F. G., « L'Image poétique chez Don Louis de Gongora », in *Oeuvres complètes*, t. VII, *Conférences, Interviews, Correspondance*, traduit de l'espagnol par A. Belamich, Paris, N.R.F., Gallimard, 1960, in-16°, p. 39-70.
- Lorian A., *Tendances stylistiques dans la prose narrative française du XVIe siècle*, Paris, Klincksieck, 1973, in-8°, 343 p. (Bibliothèque française et romane, Série A, n° 26).
- Louis P., *Les Métaphores de Platon*, Rennes, Imprimeries réunies, 1945, in-8°, 269 p. (classement des métaphores selon les objets signifiés).
- Marignac A. de, *Imagination et dialectique. Essai sur l'expression du spirituel par l'image dans les dialogues de Platon*, Paris, Les Belles Lettres, 1951, in-8°, 168 p.
- Mayer G., « Les Images dans Montaigne d'après le chapitre *De l'Institution des enfants* », in

Mélanges Huguet, Paris, Boivin, 1940, in-8°, p. 110-118.

— Moutote D., *Les Images végétales dans l'œuvre d'André Gide,* Paris, P.U.F., 1970, in-8°, X-222 p. (Publications de la Faculté des Lettres et Sciences Humaines de l'Université de Montpellier, n° 35).

— Naïs H., *Les Animaux dans la poésie française de la Renaissance,* Paris, Didier, 1961, in-8°, 718 p. (cf. particulièrement ch. VII p. 377 sq., *Une Poésie de la comparaison).*

— Nardin P., *La Langue et le style de Jules Renard,* Paris, Droz, 1942, in-8°, 351 p., cf. ch. VI p. 211-321 : *Les Images.*

— Parent M., « Les Images dans *La Colline inspirée* de Barrès », in *Travaux de linguistique et de littérature publiés par le Centre de philologie et de littérature romanes de l'Université de Strasbourg,* Strasbourg, 1-1963, p. 201-218.

— Pommier J., *La Mystique de Baudelaire,* Paris, Les Belles Lettres, 1932, in-8°, 199 p. (Publications de la Faculté des Lettres de Strasbourg, 2e série).

— Rousset J., *Circé et le Paon. La Littérature de l'Age baroque en France,* Paris, José Corti, 1953 (réimpr. 1970), in-8°, 317 p.

— Rousset J., « La Poésie baroque au temps de Malherbe : la métaphore », in *XVIIe Siècle,* XXXI-Avril 1956, p. 353-370.

— Rousset J., *L'Intérieur et l'extérieur. Essais sur la poésie et sur le théâtre au XVIIe siècle,* Paris, José Corti, 1968, in-8°, 277 p.

— Sabbagh T., *La Métaphore dans le Coran,* Paris, Adrien-Maisonneuve, 1943, in-8°, XII-272 p.

– Silver I., « Ronsard's Homeric Imagery », in *Modern Language Quarterly*, XVI-1955, p. 344-359.

– Spurgeon C., *Shakespeare's Imagery and what it tells us*, Cambridge, University Press, 1935, in-8°, XV-408 p. L'auteur résume ainsi sa thèse : « The imagery he instinctively uses is thus a revelation, largely unconscious, given at a moment of heightened feeling, of the furniture of his mind, the channels of his thought, the qualities of things, the objects and incidents he observes and remembers, and perhaps most significant of all, those which he does not observe or remember « (p. 4). Cf. l'article de L. H. Hornstein cité plus haut p. 115, et S. Ullmann, *Style in the French novel (infra)*, p. 31-32.

– Taillardat J., *Les Images dans l'œuvre d'Aristophane*, Paris, Les Belles Lettres, 1962, in-8°, 555 p. (Annales de l'Université de Lyon, 3e série, Lettres, fasc. 36).

– Tamba I., *Le Sens figuré dans les œuvres en prose du XXe siècle,* thèse dactylographiée, Paris, Université de Paris-Sorbonne, 1977, in-4°, VII-671 p.

– Thibaudet A., *Montaigne, Textes établis, présentés et annotés par Floyd Gray,* Paris, N.R.F., Gallimard, 1963, in-8°, 571 p., cf. p. 505 sq., *Les Images de Montaigne.* Mise au point utile sur le problème de l'étude des images dans le compte-rendu de S. de Sacy, « Le *Montaigne* de Thibaudet », in *Mercure de France,* 1195-Mai 1963, p. 146.

– Ullmann S., *Style in the French novel,* Cambridge, University Press, 1957, in-8°, 273, p., cf. *Intro-*

duction p. 1-39 et ch. VI, *The Image in the modern novel,* p. 210 sq. Voir F. Deloffre, *Stylistique et poétique françaises* (ouvrage cité plus haut p. 111), p. 18-19.

— Ullmann S., *The Image in the modern French novel, Gide, Alain-Fournier, Camus,* Cambridge University Press, 1960, in-8°, VIII-315 p. (« Très fine étude sur les images..., compte tenu des contextes, du rôle structural, du symbole essentiel..., de la profusion ou de la concentration des métaphores ; discussion aussi avec les critiques antérieures », Hatzfeld-Le Hir, *Essai de Bibliographie...*).

— Weber H., *La Création poétique au XVIe siècle en France de Maurice Scève à Agrippa d'Aubigné,* Paris, Nizet, 1956, in-8°, un volume en deux tomes, 774 p. (étudie l'image chez plusieurs poètes du XVIe s., et particulièrement chez A. d'Aubigné).

— Welter J.-Th., *L'Exemplum dans la littérature religieuse et didactique au moyen âge,* Paris-Toulouse, E.-H. Guitard, 1927, in-8°, 562 p.

INDEX NOMINUM

INDEX RERUM

TABLE DES MATIERES

Composé par C.D.U. et SEDES.
Imprimé en France. — JOUVE, 18, rue Saint-Denis, 75001 Paris
Dépôt légal : 1re édition : Janvier 1982
N° d'impression : 11140. Dépôt légal : Mars 1983